セーフティⅡとは?

「失敗を減らす」から「成功を増やす」へ

芳賀 繁 著
HAGA SHIGERU

中央労働災害防止協会

まえがき

2024年の正月は大災害と大事故で幕が開きました。

まずは元日の夕方、能登半島でマグニチュード7・6、最大震度7の地震が発生し、津波や崖崩れ、火災、液状化も起きて、石川県、富山県、新潟県などに大きな災害をもたらしました。その後も大きな余震が何度も起きていて、3月末現在も被害の全容はまだ明らかではありません。この地震については、これまでに起きた地震とあわせて第1章で取り上げます。

能登半島地震の翌日、1月2日には羽田空港で、被災地に救援物資を運ぼうとしていた海上保安庁の「みずなぎ1号」（ボンバルディアDHC－8－Q300型）と、札幌から到着した日本航空516便（エアバスA350－941型）が滑走路上で衝突・炎上。JAL516便の乗員乗客379人は全員脱出できたものの、みずなぎ1号の乗員6人のうち5人が死亡、脱出した機長も重傷を負いました。

衝突の原因は運輸安全委員会が調査していますので今あれこれ推察することはしませんが、JALの乗員が、燃えている大型ジェット機から子ども8人を含む367人の乗客全員を機外に脱出させたことは、世界中の航空関係者や海外メディアから「ミラクル」と絶賛されています。

一般の乗客は意識していないかもしれませんが、航空会社の客室乗務員はサービス要員である前に保安要員なのです。そして、毎年、緊急時対応の厳しい訓練を受けています。今回の事故でも訓練の成果がいかんなく発揮されましたが、同時に、訓練を受けていない状況に応じた行動も行われていました。

客室乗務員がさまざまな状況下で自律的に判断して行動する力を高めるための新しい訓練を、第5章で紹介します。

能登半島地震でも、羽田空港事故でも、悲しいニュースの中にキラリと光る現場第一線のしなやかな対応を見いだすことができます。次に起きる事故や災害は、過去の事故や災害の延長線上にはありません。過去から学ぶことも大事ですが、経験したことのない新しい状況で最善と思われる行動を、現場第一線が自律的に判断して、果断に実行できるようなマネジメントと安全研修が必要なのです。

本書では「セーフティII《ツー》」という新しい安全の考え方を解説します。

これまで、安全とは事故や災害が少ないこと、リスクが低い状態を表す言葉でした。安全マネジメントは事故の再発を防止する対策を立て、設備を改良し、「安全な」作業のやり方を決めて守らせることに一生懸命取り組んできました。確かに事故は少なくなったのですが、「安全」のためのマニュアルが煩雑になり、事故やエラーが起きる度に手順が増えました。そして、決められたことを決められたとおりに行うことを教えられ続けているために、現場のしなやかさが失われて、いい仕事をしたいという現場本来のモチベーションも低下してしまったように思います。

セーフティⅡは「安全」の定義を「ものごとがうまくいかない可能性が低いこと」から、「ものごとがうまくいく可能性が高いこと」に変えようという提案です。セーフティⅡは、安全をネガティブな事象の発生件数や可能性（リスク）で捉えるのでなく、ポジティブな結果の可能性と考えるのです。安全マネジメントの目標を、従来の失敗が少ない状態である「安全」から、成功を続け、成功を増やす能力である「安全」に切り替えることで、現場のやる気が上がり、しなやかさが戻ることを期待します。

本書の第1章では、今が「ＶＵＣＡ《ブーカ》」と呼ばれる、複雑で先が読めない、想定外のことが次々に起きる時代であることを思い起こし、これまでうまくいっていた仕組みややり方がこれからもうまくいく保証がないことを説明します。

第2章では、ＶＵＣＡの時代の安全マネジメントの指針となる理論として、レジリエンスエンジニアリングを紹介します。レジリエンスエンジニアリングについては私が4年前に書いた本[1]で詳しく解説しているので、ここでは、レジリエンスに必要な現場力を中心に取り上げます。

第3章はいよいよセーフティⅡの本題に入ります。これまでの安全をセーフティⅠ《ワン》と呼び、セーフティⅠを目指す安全マネジメントの問題点を指摘します。そして、セーフティⅠとⅡとを対比し、セーフティⅡの特徴を述べます。

第4章では、セーフティⅡを目標にする安全マネジメントの実践例として、まずはしっかりと原因を分析する手法、ヒヤリハットを成功事例として報告を集めたり分析したりする方法、安全性と効率性を両立させる工夫などをお話しします。

第5章では、しなやかな現場力を育てる試みとして、医療、製造業、建設業、鉄道、航空で私が実際に関わった安全研修の方法を具体的に紹介します。そして最後に、職場や現場での取組み方法について提言したいと思います。

本書は産業界や医療の実務者向けに書きましたが、それ以外のみなさんにもぜひ読んでほしいと思っています。失敗を減らすことを目標にするのではなく、成功を続ける／増やすことを目標にするマネジメントの考え方は、組織の経営者やビジネスパーソンにも参考になるはずです。失敗を避けることを目標にするマネジメントの問題点は、教育界の人や、営業部門、事務部門の人も共感してくれると思います。

「セーフティⅡなんて聞いたことがない」、「聞いたことはあるけど具体的にどう取り組んだらよいか分からない」と思っていた人が、本書を読んで、セーフティⅡの考え方を理解し、「よし自分のところでもやってみよう」と思っていただければ幸いです。

2024年4月　芳賀繁

注

（1）芳賀繁『失敗《エラー》ゼロからの脱却　レジリエンスエンジニアリングのすすめ』KADOKAWA、2020年

目次

第4章　セーフティⅡを目指す安全マネジメント

第5章　しなやかな現場力を育てる

第1章　「想定外」が当たり前の時代

VUCAの時代

ＶＵＣＡ（ブーカ）という言葉を聞いたことがありますか？　１９９０年代にアメリカの軍事用語として使われ始めたらしいのですが、最近はビジネスに関わる言葉としてちょくちょく耳にしたり目にしたりするようになりました。

ＶＵＣＡとはVolatility《ヴォラティリティー》（変動性）のＶ、Uncertainty《アンサートンティー》（不確実性）のＵ、Complexity《コンプレクシティー》（複雑性）のＣ、Ambiguity《アンビギュイティー》（曖昧性または多義性）のＡを並べたものです。現代は、変化が激しく（Ｖ）、何が起きるか不確かで（Ｕ）、社会やシステムが複雑化していて（Ｃ）、何が起きているのかが曖昧でよく分からない、解釈が1つに定まらない（Ａ）、そういう時代なのだということです。ＶＵＣＡという言葉は、政策決定や経営方針の決定が大変難しい、こういう時代に生き残るために必要なことは何か、というようなことを考える文脈で使われます。

ＶＵＣＡ時代の未来は過去の延長線上にはありません。何が起きるか分からないから、これまでうまくいっていたやり方がこれからもうまくいくとは限りません。

これは安全や品質管理にとっても重要な問題提起だと思います。

これまで、事故やトラブルが発生すると背景要因も含めて原因を分析し、再発防止のための対策を積み重ねてきました。しかし、それだけでは不十分なのです。経験したことのない規模の自然災害が起きたり、思ってもみない行動をとる人が現れたり、小さなエラーや故障がとんでもなく大きなシステム障害を引き起こしたりします。

同じ震災は二度と起こらない

日本は地震大国といわれるくらい、大きな地震をいやというほど経験してきました。この30年の間では、犠牲者が６０００人を超えた１９９５年の阪神・淡路大震災、営業運転中の新幹線が脱線し、震災関連死が初めて大きな問題になった２００４年の新潟県中越大震災、津波による死者や災害関連死を含む２万数千人の犠牲を生んだ２０１１年の東日本大震災、震度7の大地震が28時間以内に2度も起きて甚大な被害が生じた２０１６年の熊本地震、全道ブラックアウトが起きた２０１８年の北海道胆振《いぶり》東部地震、そして２０２４年1月1日の能登半島地震。この先、いつどこで大地震・大津波・大噴火が起きても不思議はありません。南海トラフ巨大地震や首都直下型地震は近い将来確実に起きると言われていて、万一起きれば甚大な被害が予想されています。

ここで注目してほしいのは、１つとして同じ震災はないということです。

阪神・淡路大震災の教訓から災害派遣医療チームＤＭＡＴ《ディーマット》が創設され、東日本大震災で全国から３８０チーム１８００人の医療者が出動しました。当初、ＤＭＡＴは地震で大けがをした人を72時間以内に救命治療することが期待されていたのですが、東日本大震災では圧倒的な数の死者・行方不明者に比べ、急性の傷病者はわずかと言ってもいいくらいでした。むしろ発災から3日目以降に急激に患者が増え、その大半は外科治療ではなく内科治療が必要な人々だったのです[1]。能登半島地震でも、香川県から駆けつけた医師は「普段あまり考えることがない、限られた資源の中で適切な対応をとる必要がありました」と述べています[2]。

能登半島地震は元日に起きたため、帰省先で被災した人も多く、避難所によっては地元以外の人が3分の1を占めたそうです[3]。発災時、輪島市、珠洲市、能登町の滞在者数は「約1カ月前の日曜日にあたる２０２３年12月3日の同時間帯より33％多かった」（２０２４／１／７　日本経済新聞　電子版）というデータもあります[4]。

避難所は地域の住民が避難することを想定して食料や物資を備蓄していますが、想定を上回る数の避難者を収容しきれない、食料があっという間に底をつくなどといったことが起こりました。混雑する避難所では、新型コロナウイルスという、過去の震災にはなかった感染症が被災者を襲いました。また、崖崩れや地割れのために通行できなくなった道路の代わりに船で救援物資を運ぼうとしたら、海岸が隆起して港が使えなくなったことも過去に例がありません。そんな中、自衛隊員は大きなリュックを背負い、膝まで土砂で埋まったぬかるみや、崩落した急斜面を登って進み、孤立した集落や避難所に徒歩で支援物資を運びました。

沸騰化する地球

国連のアントニオ・グテーレス事務総長は2023年7月27日、ニューヨークの国連本部で記者会見を開き、「地球沸騰化（グローバル・ボイリング）の時代が到来した」と発言しました。地球温暖化（グローバル・ウォーミング）などという生やさしい状況ではないと世界に向かって呼びかけたのです。

日本でも、ここ数年、台風が大型化したりして、観測史上に記録がないような強風や豪雨がもたらされています。死者数は昭和時代に日本を襲った室戸台風や伊勢湾台風などよりずっと少ないのですが、治水対策と気象予報精度の向上をもってしても防げない、激甚な自然災害が増えている印象があります。**表1-1**には2018年以降の台風と豪雨によ

表1－1　2018年以降にわが国で起きた大きな自然災害（地震を除く）

発生年月日	災害事例
2018.6.28-7.08	「平成30年7月豪雨」。台風7号および梅雨前線等の影響で西日本を中心に豪雨が続き、河川の氾濫、洪水、土砂災害による死者・行方不明者は広島県、岡山県などで232人。住宅全壊6,758棟、床上浸水8,567棟などの被害が出た。
2018.9.04	台風21号（チェービー）が非常に強い勢力のまま徳島県、次いで神戸市に上陸。上陸時の中心気圧は950hPa、最大風速45m/sだった。死者14人、住宅全壊68棟。関西国際空港では高潮による滑走路の浸水やターミナルビルの浸水、停電などで閉鎖された。さらに関西国際空港連絡橋に強風で流されたタンカーが衝突して橋が損傷。そのため利用客3,000人と職員2,000人が空港ターミナルビルに取り残され一晩を明かした。連絡橋は2019年4月にようやく全面復旧した。
2019.9.09	「令和元年房総半島台風」（台風15号、ファクサイ）が強い勢力（中心気圧960hPa、最大風速45m/s）で千葉市に上陸。死者9人、住宅全壊457棟。強風のため送電網に大きな被害が出て93万戸が停電した。9月24日午後7時前までに停電はおおむね復旧したが、一部の地域では月末まで停電が続いた。
2019.10.12	「令和元年東日本台風」（台風19号、ハギビス）による大雨のため140カ所あまりで堤防が決壊するなどして東日本各地に洪水被害。長野新幹線車両センターでは北陸新幹線の車両10編成が水没するなどした。
2020.7.03-7.31	「令和2年7月豪雨（熊本豪雨）」。長期にわたり梅雨前線が停滞し、東北から九州にかけての広い範囲で記録的な大雨が降った。とくに7月3日から8日まで線状降水帯が九州に発生し球磨川が氾濫するなどして大きな被害が出た。死者・行方不明者は熊本県の69人を筆頭に全国で88人。住宅全壊1,627棟、床上浸水1,741棟。

表１－２　2021年以降にわが国で起きた大きなIT関係のトラブル

発生年月日	トラブル事例
2021.2.28	みずほ銀行でシステム障害。ATMに通帳やキャッシュカードが取り込まれて出てこないというトラブルが5,244件発生。同行が保有するATM約5,900台のうち最大4,318台が稼働停止。一部のATMを除いて3月1日10時までに復旧。しかし、その後も2022年2月までに数分～数時間のシステム障害が10回発生した。
2022.7.02	KDDIで過去最大級の通信障害。61時間25分にわたって音声通話やデータ通信が使いにくくなった。au携帯から110番などの緊急通報ができず、一部の銀行ATMも停止し、約4千万人に影響。アメダスによる気象観察や、鉄道運行、宅配便サービスも阻害された。発端は通信ネットワークの保守・管理のための機器交換の不手際。完全復旧は86時間後。これ以前にも2018年にはソフトバンクで3千万人、2021年にはNTTドコモで1,200万人に影響が及ぶ長時間の通信障害が起きている。
2022.10.31	大阪急性期・総合医療センターがランサムウェアによる攻撃を受け、大規模なシステム障害。電子カルテが閲覧できなくなるなどしたため、翌年1月まで診療が大幅に制約された。調査・復旧に数億円以上、診療制限に伴う逸失利益は数十億円以上。
2023.3.08	前夜23時50分頃からJALのウェブサイトにつながりにくくなった。同社は3月9日0時から国内線全路線を6,600円で販売するセールを予定していたが、販売開始前からアクセスが殺到し、セール以外の航空券の予約・発券も手続きしづらくなった。JALは14時にセールを中止したが、アクセスしにくい状態は18時半過ぎまで続いた。アクセス数は毎時100万人で、想定の2.5倍だった。
2023.4.03	ANAのシステム障害で国内線の予約・発券・搭乗手続きが1時間ストップ。ANA、AIRDOなど55便が欠航したほか多数の便に遅延が生じ、約26,700人に影響。原因はデータベース管理システムのバグだった。

る災害を挙げました。

表1-2には2021年以降にわが国で起きた大きなIT関係のトラブルを挙げました。これを見て気づくのは、通信やコンピュータシステムが私たちの日常生活に深く入り込んでいることです。

IT（情報技術）のおかげで便利な社会になりました。旅行会社のカウンターや駅の窓口に並ばなくても航空券や新幹線の予約や購入が自宅からできるのはありがたいです。出張先で仕事が予定より早く終わったり、遅くまでかかったりした場合は、スマホから予約の変更ができます。医療情報システムは患者のカルテをデータベースに保管しているので、病院の受付で職員が患者のカルテを探して診察室に運ばなくてもいいし、検査結果が入力されれば即時に診察室でそれを見ることができるし、医師が処方すれば薬剤部に薬の情報が飛ぶし、医療費の計算と患者への請求書発行もやってくれます。私はインターネットバンキングを愛用していて、いろいろな振込は全部自宅から済ませます。昔は銀行の待合室で長時間待たされましたよね。

その便利さ、効率性の反面、システムが使えなくなると大きな代償を支払うことになります。システム障害の要因としては、機器の故障、プログラムのバグ、想定以上のアクセス集中、通信途絶などがありますが、最近ではハッカーなど悪意を持った第三者による攻撃も増えています。例えば、表1-2にも挙げましたが、２０２２年10月に大阪急性期・総合医療センターのシステムがランサムウェアという身代金要求型のコンピュータウイルスに感染しました。病院に給食を納入している業者のシステムを足がかりにして病院の基幹システムに侵入したとみられています。その結果、電子カルテなどの医療情報が暗号化されて読めなくなりました。暗号を解除するには金を払えという身代金要求メッセージが表示されます。これを復旧するのにかかった費用は数億円以上、診療制限に伴う逸失利益は数十億円以上と推定されています。

表1-3には私が新しいタイプの事件と考えるいくつかの事例を挙げました。

１つ目のタイプは「悪ふざけ」や、ＳＮＳでの炎上を狙った迷惑行為です。10年ほど前から、アルバイト従業員が勤め先で冷蔵庫や厨房のシンクに入ったり、商品をなめたりする写真や動画像をＸ（旧ツイッター）やインスタグラムに投稿する事例が後を絶たず、「バカッター」とか「バイトテロ」という言葉が生まれました。２０２３年には回転寿司店でしょうゆ差しの注ぎ口に口を付けたり、回転している寿司に唾液を付けたりする様子を撮影した動画が拡散され、店はしょうゆ差しの中身の廃棄などを余儀なくされました。被害

表1－3　2018年以降にわが国で起きた特徴的な犯罪事件

発生年月日	犯罪事例
2018.6.09	東海道新幹線のぞみ号車内で男が鉈で乗客を切りつけ、１人を殺害、２人に重傷を負わせた。動機は刑務所に入りたかったから、攻撃対象は誰でもよかったと供述。
2019.3.29	タイの捜査当局はパタヤを拠点にしている特殊詐欺グループのアジトを摘発し日本人15人を拘束。15人はその後日本に移送されて逮捕された。
2021.8.06	小田急線車内で36歳の男が乗客3人を包丁で刺し、女子大生が重傷を負うなど合わせて10人がけが。「勝ち組」の女性を殺したいと思うようになったと動機を語った。
2021.10.31	京王線車内でハロウィーンの仮装をした男が乗客をナイフで切りつけたうえ放火。1人が重傷、17人が軽傷を負う。動機は「死刑になりたい」。
2021.12.17	大阪の心療内科クリニックの元患者がクリニックに放火。患者・医師・従業員26人が死亡。
2023.3.08	回転寿司チェーンの店舗で、共用のしょうゆ差しの注ぎ口をなめ、その様子を撮影した動画をインターネット上に投稿したなどとして男女３人を逮捕。
2023.5.08	東京銀座の高級時計店で約3億円相当の時計70点が盗まれる強盗事件。逮捕された犯人は「闇バイト」に応募した少年4人と男1人。

を受けた回転寿司チェーンの運営会社は警察に被害届を出すとともに、約６７００万円の損害賠償を求める民事訴訟も起こしました[5]。

２つ目のタイプは、「闇バイト」に応募した人たちに指示して行わせる強盗です。強盗団の黒幕は安全なところから通信アプリを使って指示を出し、実行犯は寄せ集めの素人で、お互いの名前も、指示役の居場所も素性も何も知らないので、警察に捕まっても捨て駒にされるだけです。それなのに、高額報酬に釣られて犯罪行為の片棒を担ぐ人が後を絶たないのはなぜでしょう。今まで世界中で最も安全な国の１つだった日本で、白昼堂々と店舗や住宅に強盗が入るなんて一昔前には考えられませんでした。

３つ目のタイプは、無差別殺人あるいは殺傷事件です。これは残念ながら最近の現象ではなく、１９９５年の地下鉄サリン事件、２００１年の大阪教育大附属池田小学校事件、２００８年の秋葉原通り魔事件、２０１６年の津久井やまゆり園事件、２０１９年の京都アニメーション放火事件などは記憶に残っている読者も多いでしょう。古くは１９３８年に30人が殺害された津山事件、１９４８年に12人の行員らが毒殺された帝銀事件というのもありました。私がここでこのタイプの事件を取り上げた理由は、店舗や学校や医療機関、鉄道会社などのリスクマネジメントに大きな衝撃を与えたからです。この意味では、表１

-1、表1-2に挙げた事例と同様で、企業や学校、病院などが今までの安全対策やリスク管理を根本的に考え直さなければならない状況に直面しています。ここで京王線の事例を少し詳しく見て、従来の安全対策に何が足りなかったのかを考える材料にしましょう。

京王線車内傷害事件

ハロウィーンが近づくと、東京の鉄道にはハロウィーンのコスプレをした客が乗ってくることは珍しくありません。私もライブハウスでのイベントに参加するため、カリブの海賊の格好で電車に乗った経験があります。上にコートを羽織っていましたが。

２０２１年10月31日（日曜）、午後８時少し前、京王八王子発新宿行き特急電車（10両編成）に調布駅からジョーカーの扮装をした男が乗ってきました。ジョーカーとは「バットマン」に登場するピエロの格好をした殺人鬼です。列車には約３００人が乗車していたようです。

調布駅を発車してからまもなく、４号車（後ろから4両目）で車内非常通報装置（ＳＯＳボタン）が押されましたが、車掌の問いかけに反応がありません。さらに他の号車でも次々と非常通報装置が押されましたが、押した乗客からは返事が返ってこないのです。じつは、非常通報装置はインターホンと同じで、通話をしなければ乗務員に状況が伝わらないのです。でも、このとき3号車で男が乗客の１人を刺し、刃物を持ったまま4号車、５号車と前方に向かって歩いていたので、そこに留まって乗務員に事態を説明する余裕などなかったに違いありません（京王電鉄はその後、運輸指令所等で映像をリアルタイムで見ることのできる防犯カメラを全車両に取り付けました）。

その後、列車後方では刃物を振り回している人がいることを乗客が直接車掌に知らせ、前方では運転席後ろの窓を叩いて何か叫んでいる乗客もいるので、指令と相談の上、次の国領《こくりょう》（調布から２つ目）に臨時停車することにしました。

ところが停まった位置は停止位置目標の１メートル手前でした。運転士は慌てていたのでしょうか、それとも少しでも早く止めて乗客を逃がそうとしたのでしょうか。しかし、国領駅には安全のためのホームドアが設置されています。車両ドアとホームドアの位置を合わせるためには正確に停止位置目標に列車を停めなくてはならないのです。２つのドアがずれていると、車両ドアを出た乗客はホーム柵に行き手を阻まれ、車両とホームの間の狭い空間を横に移動しなければなりません。ホームと電車の間に落ちるリスクがあります。運転士は停止位置を修正するために少し前進することにしたのですが、ブレーキを緩めるとなぜか後ろに下がってしまいました。その時点ですでに乗客が車両のドアを開けて外に出ようとしていたからです。

電車がドアを開けたまま走ると非常に危険ですから、ドアが全部閉まっていることを検知する電気回路があって、この回路が閉じていないと運転士が発車や加速をしようとしてもモーターが動かないのです。そして車両のドアは空気圧でぴったり閉まっているのですが、火災などの場合に緊急脱出できるよう、非常用ドアコックというハンドルを操作すると空気が抜けて手でドアを開けることができます。ドアコックはドアの上方や座席の下などにあります。

電車が止まるやいなや乗客は窓やドアを開けて車外に逃げ、ホーム柵やホームドアを乗り越えてプラットホームに降り始めました。ここに至って、乗客の避難を妨げているドアを開ける必要性を認識して、車両ドアとホームドアの両方を開けるよう指令から車掌に指示が出ましたが、車掌は乗客がホームドアの上に乗っている状態でドアが動いたら危ないと判断し、ホームドアを開けませんでした。このときの様子を動画で撮影した映像がテレビ等でセンセーショナルに放送され、ホームドアを開けなかった京王電鉄の対応が一時批判されることになります。

なお、男は5号車でライターオイルを床にまいて点火したあと、2号車に座ってタバコを吸っていたところを駆けつけた警察に確保されました。

この事件で特徴的な点は、せっかくの車内非常通報装置があまり役に立たなかったこと、非常用ドアコックやホームドアなどの安全装置がかえって事態を悪化させたことです。運転士も車掌も、指令員も駅係員も、最善の努力をして事件に対応しました。これだけの重大犯罪と大混乱の中、犯人に刺された1人の乗客以外は17人の軽傷者を出しただけで済んだのは、鉄道社員、警察、消防が適切に動いたおかげだと思います。しかし、乗務員と指令のやり取りに時間がかかって、どんどん急変する事態に意思決定が追いつかなかったことは反省点の1つだと考えます。

京王電鉄はこの事件を受けて、指令員や乗務員が変化する状況の下で自ら主体的に判断して行動する力を養う研修を始めました。

ブラックスワン

欧米の人々は何千年もの間、白鳥は白いものだと思っていました。英語では、無駄な努力をすることを「黒い白鳥を探すようなものだ」という表現すらあったそうです。ところが、オーストラリア大陸にヨーロッパ人が進出すると、1697年に黒い白鳥が見つかったのです。ブラックスワン、すなわち黒い白鳥とは、あり得ないと思っていたことが起きること、出現することを指す言葉です。さらに、あり得ないと思っていたことが起きて混乱すること、社会や経済に大きな衝撃を与えることも指します。

レバノン生まれのデリバティブ・トレーダーで、不確実性科学の研究者でもあるナシーム・ニコラス・タレブは『ブラック・スワン』という本の中で、「この話〔存在しないと信じられていた黒い白鳥が発見されたこと：引用者注〕は、人間が経験や観察から学べることはとても限られていること、それに、人間の知識はとてももろいことを描き出している」と書いています。タレブはまた、黒い白鳥には次の3つの性質があると書いています。(6)

① 予測できないこと
② 重大な影響を及ぼすこと
③ 後から振り返ると説明が付けられること

前から危ないと
思ってたのよね
××事故が
発生しました

結果を知っていると、結果を知る前よりも、その結果が生じることを予測できたと考える傾向が高くなることを「後知恵バイアス」といいます。ブラックスワンも、起きた後で考えると、事前に予測できたはずだと考えがちなのですが、実際には、ほとんど誰も予想できないし、「起きるぞ」と予想した人の意見は、多くの人から無視されたりばかにされたりしがちです。また、結果を知った後で以前の記憶が書き換えられて、自分は前から分かっていた、予測していたと信じる傾向も知られています。「やっぱりね、前から危ないなと思ってたんだよ」と。

日本の刑法第211条に業務上過失致死傷罪というものが規定されています。業務上の過失によって人を傷つけたり死亡させたりした人を処罰する法律です。民法第709条には「故意又は過失によって他人の権利又は法律上保護される利益を侵害した者は、これによって生じた損害を賠償する責任を負う」と書かれています。

刑法学者の池田良彦によると、刑法でも民法でも、過失責任の要件は、加害者に不注意があったことを証明しなければならず、その不注意とは「被害結果の発生を予見すべきなのに、不注意にも予見しなかった」ことが責任の根拠となるそうです。逆に、加害者が被害結果の発生を予見できなかった(予見可能性がない)場合には法的責任を問えません[7]。

したがって、過失が争点となる裁判では、結果を予見できたかどうかがしばしば問題となります。責任者を処罰してほしいと願う被害者や遺族の気持ち、被害者に同情的な世論の下では、「そんなことをすれば、あるいは、何もしなければ、重大な結果に至ることは予想できたはずだ、結果を予見できたはずだ」という主張に共感が集まります。しかし、後知恵バイアスを排除して、冷静に予見可能性を判断することが必要です。不注意を処罰することの是非についてはシドニー・デッカー著(拙訳)の『ヒューマンエラーは裁けるか[8]』を読んでください。

想定外の事象

ブラックスワンと似た言葉で、わが国でよく使われるのは「想定外」です。「想定外」という言葉がさかんに使われたのは2011年3月11日に起きた東北地方太平洋沖地震と、それによりもたらされた東日本大震災や福島第一原子力発電所事故の頃です。「想定外の大きな揺れ」、「想定を超える巨大な津波」、「ここまで浸水したのは想定外だった」、「電源をすべて喪失したのは想定外だった」などと言われました。

これに対し、「平安時代の貞観《じょうがん》地震の記録があるのだから、想定できたはずだ」とか、「あらゆる想定をして対策を講じなかったのは怠慢である」などの批判が巻き起こりました。たしかに「想定外」という言葉は、事業者や技術者の「言い訳」のように聞こえました。

一方、技術者の側からは、「なんらかの想定をしなければ建物や設備の設計はできない」、「我々は与えられた想定に基づいて最善の設計をしているのだ」という反論がありました。最大の津波の高さを10メートルとして設計するか15メートルでも大丈夫なようにするかは設計の前提条件であって、15メートルの津波を想定できなかったのではなく、前提としなかっただけというのです。最大の津波高を10メートルにするか、15メートルにするか、あるいは20メートルにするかは発生確率と対策にかかる費用を勘案して決めざるを得ません。つまり、「想定外」とは「思ってもみなかったこと」ではなく、「意図的に想定しなかったこと」だというのです。

航空事故、鉄道事故、原発事故など安全に関わる多くの著作で知られる柳田邦男は想定外を次の3つに分類しています[9]。

A　本当に想定できなかったケース

B　ある程度想定できたが、データが不確かだったり、確率が低いとみられたりしたために、除外されたケース

C　発生が予測されたが、その事態に対する対策に本気で取り組むと、設計が大がかりになり投資額が巨大になるので、そんなことは当面起こらないだろうと楽観論を掲げて、想定の上限を線引きしてしまったケース

私はこれに加えて、

D　想定しようとしなかったケース

があると思います。これまでどおりに作っておけばいい、これまでのやり方で問題がなかったのだからいいだろうと、リスクを本気で考えないことが案外多いのではないでしょうか。

最近、マイナンバーカードを急速に普及させたために、別人の健康保険証と紐付けられたり、同姓同名の別人に交付されたり、マイナンバーカードを使ってコンビニで発行した住民票が他人のものだったりと、混乱が続きました。カード発行の手続きや、マイナンバーと銀行口座との紐付けの仕組みなどを考えると、どれも起きて当たり前のトラブルであるように思います。自治体の役所や健康保険組合、システム開発などの現場第一線では、あるいは想定できていたのかも知れません。しかし、その人たちには仕組みやシステム設計を変える権限はなくて、自分の仕事じゃないと思っているか、対策を提案してもどうせ取り上げられないと思っているか、あるいは取り上げられたら自分に仕事が降りかかってきて大変になるので口をつぐんでいるかだったのでしょう。そして、仕組みやシステムを変える権限を持っている人たちにリスクが伝わらなかったか、現場から遠くてリスクの実感がなかったのではないでしょうか。

これに類することって、あなたの組織にもありませんか？

注

（1）小井土雄一他「東日本大震災におけるＤＭＡＴ活動と今後の研究の方向性」保健医療科学、第60巻第6号、495～501頁、2011年

（2）遠藤通意「能登半島地震　福祉避難所での診察」医療ガバナンス学会ＭＲＩＣメールマガジンVol. 24010,2024
http://medg.jp/mt/?p=12113（参照2024年1月20日）

（3）大森貴弘、宮野佳幸、弓場珠希「「マンパワー足りない」元日の故郷を直撃、帰省者で避難所逼迫　能登半島地震」産業経済新聞、2024年1月5日
https://www.sankei.com/article/20240105-BUCUUPIQBVO67LCRTFGT6YY3MY/（参照2024年1月20日）

（4）日本経済新聞「能登半島地震、元日滞在3割多く避難所満杯　物資足りず」2024年1月7日
https://www.nikkei.com/article/DGXZQOUF042G80U4A100C2000000/（参照2024年1月20日）

（5）2023年7月31日付けで調停が成立し、損害賠償請求を取り下げた。

（6）Taleb, N. N.（2007）*The Black Swan*. Random House. 望月衛（訳）『ブラック・スワン』ダイヤ

モンド社、2009年
(7) 池田良彦「ヒューマンエラーと過失責任」芳賀繁(監修)『ヒューマンエラーの理論と対策』㈱エヌ・ティー・エス、2018年
(8) Dekker, S. (2007) *Just Culture*, Ashgate. 芳賀繁(監訳)『ヒューマンエラーは裁けるか 安全で公正な文化を築くには』東京大学出版会、2009年
(9) 柳田邦男『「想定外」の罠』文春文庫、2014年

第2章　レジリエントなシステムとしなやかな現場力

レジリエンスエンジニアリング

現在、ＶＵＣＡの時代の安全マネジメントの指針となる理論として、安全問題の専門家、安全に関わる組織、企業などから大きな注目を集めているのがレジリエンスエンジニアリングです。

レジリエンスエンジニアリングは、２００４年にスウェーデンのリンショーピンという小さな町に世界各国からヒューマンファクターズの専門家が集まり、安全についての新しいアイディアを議論した中から誕生しました[1]。グループの中心にあって議論をリードしたのは、そして現在も指導的役割を果たしているのは、デンマークのエリック・ホルナゲルとアメリカのデヴィッド・ウッズです。

レジリエンス（resilience）という英語は通例「弾力」「反発力」「復元力」などと訳されますが、「しぶとさ」「打たれ強さ」のニュアンスを持っています。形容詞形はレジリエント（resilient）です。大きな環境変化によってダメージを受けた生態系が回復する力、戦争被害や大災害の後に社会・経済が復活する力、逆境の中でも健全な心を維持する力、１つの経路が断たれても他のルートに切り替えて輸送や送電を維持できる能力などをレジリエンス、あるいはレジリエントの語を使って表現します。

レジリエンスエンジニアリングは、「社会技術システム」がレジリエントであるための要件、システムのレジリエンスを評価する手法、レジリエンスを高める方法などを研究し、その知見を実践的に応用する活動です。社会技術システムとは、組織、人、制度、法令などの社会システムと、設備、装置、コンピュータ、ソフトウェアなどの技術システムが一体となって目的を果たすために機能しているシステムのことです。航空、鉄道、道路交通、医療、教育、証券取引などの大きなシステムも、１つの航空会社、空港、管制塔、飛行中の航空機など、航空輸送システムを構成するサブシステムも社会技術システムといえます。

社会技術システムのレジリエンスとは「ダイナミックに変化する状況の下で、システムが機能を維持する力」です。以下、本書で「システム」といえば社会技術システムのことだと思って読んでください。

レジリエンスエンジニアリングの新しい視点の1つは、「システムはダイナミックに変化する状況の下で機能し続けなければならない」という認識です。システムは外乱や変動にさらされています。外乱とは、激しい気象条件や自然災害、パンデミック、テロやハッキングのような妨害行為、通信障害など、変動とは設備故障、ヒューマンエラー、コンプライアンス違反などシステムを構成する人やモノの機能変動です。「機能」という言葉は「パフォーマンス」と言い換えても構いません。

大津波や巨大地震のような大きな外乱だけでなく、もっと日常的な、例えば工場に部品が届かない、乗客同士がけんかを始めた、渋滞のため作業現場への到着が遅れた、悪天候で目的の空港が閉鎖された、作業グループ5人のうち2人が急病で欠勤した、うっかり間違った薬を投与してしまったなど、システムはさまざまな外乱や変動にさらされています。突発事態だけではありません、少子高齢化、人々の価値観の変化、技術的イノベーションなどでじわじわと変化する状況もあります。

システムは大きな変動、小さな変動、想定内の外乱、想定外の外乱、急激な環境変化、ゆっくりした環境変化等に対応してその機能（パフォーマンス）を維持し続けています。「機能を維持する」というのは、工場なら製品を作り続けること、病院なら診療を続けること、航空会社や鉄道会社なら旅客や貨物を目的地に運ぶこと、電力会社なら電気を利用者に届け続けることです。

システムの機能を維持する力には、機能を求められる水準に維持するだけでなく、機能低下をできるだけ小さく限定する力、低下した機能を素早く回復させる力が含まれます。なぜなら状況はダイナミックに変動するので、時には突然の大きな外乱や変動によってシ

ノロノロ
イライラ
休み…
アタフタ
風邪で…

ステムの機能が一部、あるいは全面的に停止することも避けられないからです。つまり、システムのレジリエンスとは、図2-1に示すとおり、

① 機能を維持する力
② 機能の低下を最小限に抑える力
③ 低下した機能を素早く回復する力

の3つの能力だといえます。

レジリエンスエンジニアリングはシステムがレジリエントに機能するためには何が必要か、どうすればもっとレジリエントになるかを研究し、実践的な解決策を提案したり、開発したりする活動なのです。

シャープエンド

現場第一線のことを「シャープエンド」ということがあります[2]。意味は尖った端。外乱や変動に直面しながらシステムを安全に機能し続ける任務を担う現場第一線の実務者や組

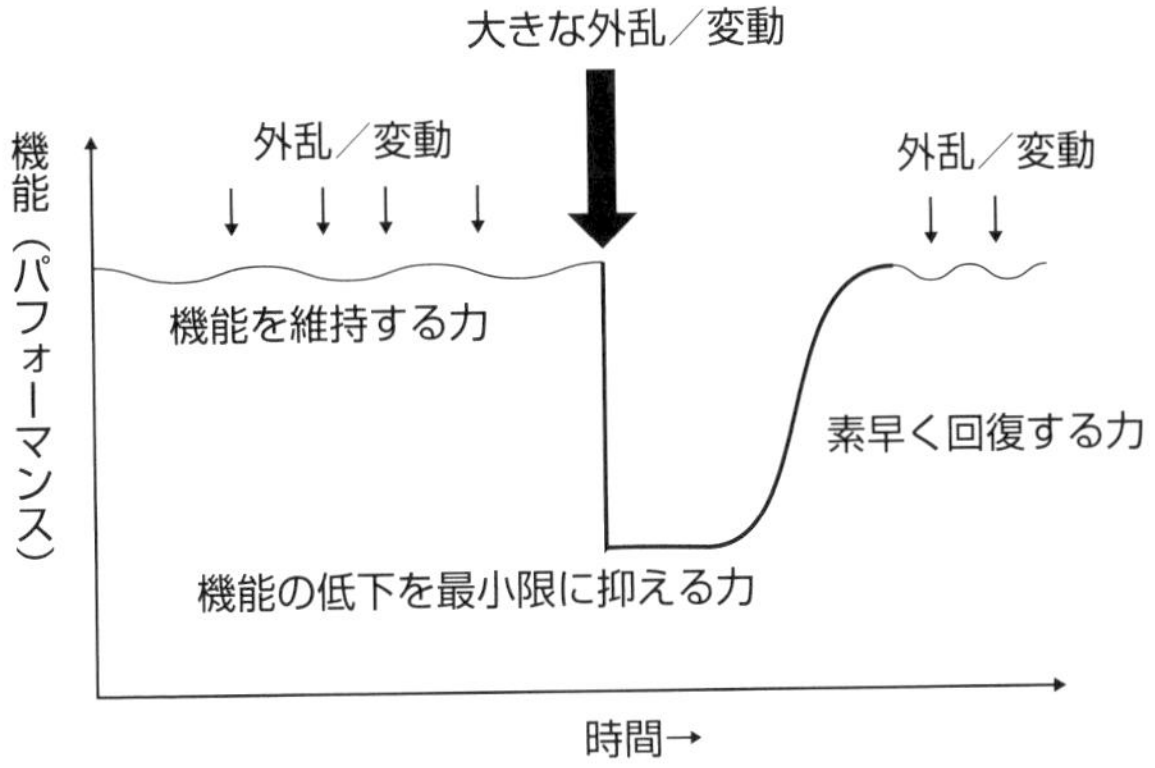

図2－1　レジリエンスの3つの能力

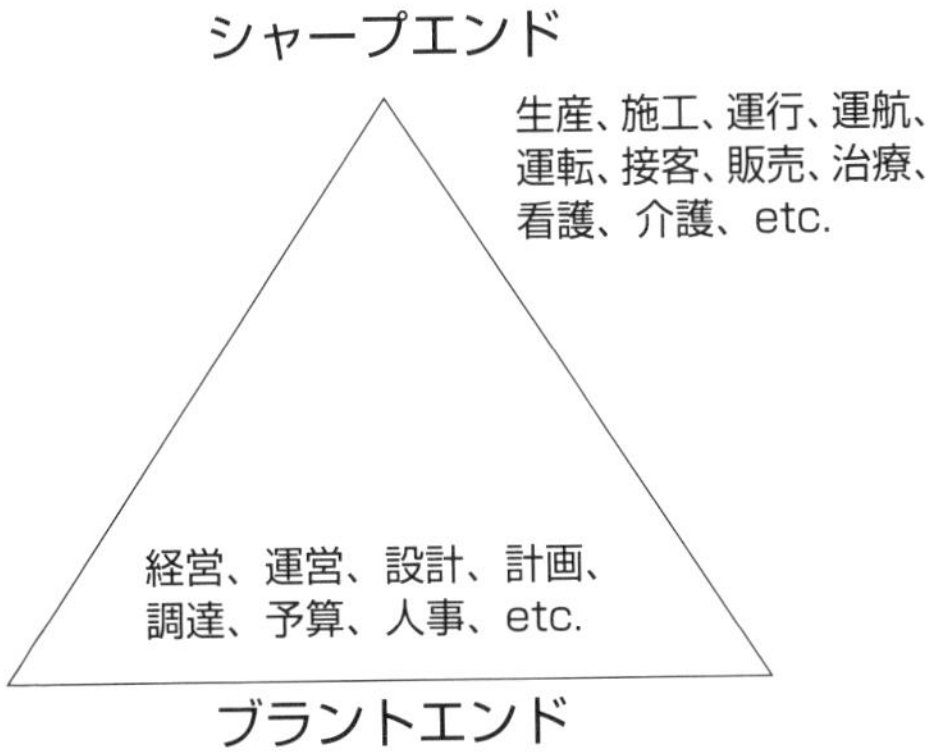

図2－2　シャープエンドとブラントエンド

織を意味します。反対は「ブラントエンド」といい、尖ってない側を意味します。システムの経営、運営、計画、設計に携わる人や部門です（図2-2）。

ブラントエンドの側は、シャープエンドの人や組織に自分たちが決めた手順や指示に忠実に従うことを求めます。

第4章で、ＷＡＩ（計画どおり、決められたとおりの仕事）とＷＡＤ（現場で実際に行われている仕事）の違いについて説明しますが、ブラントエンドでは現場がＷＡＩのとおりに仕事を進めていると思っているのに、事故が起きて初めて、そうでなかったことに気づきます。そのとき、ブラントエンドはなぜ現場が決められたことに従わなかったのかを深く考えず、違反をしたのがけしからん、違反を撲滅すれば事故はなくなると思いがちです。

しかし、システムがレジリエントであるためには、シャープエンドもブラントエンドもレジリエントでなければなりません。突発的な外乱や変動に対しては、とりわけ現場第一線のレジリエンス力が求められます。

しなやかな現場力

ＶＵＣＡの時代は変化の激しい時代です。これまでうまくいっていたやり方が、これからもうまくいく保証はありません。現場第一線が目の前で起きていることをしっかりと見極め、時間的に切迫している状況では上長や上部組織の指示を待たずに、自ら判断して行動することが必要なのです。その能力を私は「しなやかな現場力」と呼んでいます。図2-3に示すように、現場第一線の人々は、システムのパフォーマンスを乱すような外乱や変動にしなやかに対応して、システムの機能を守っているのです。

図に描かれた人々が伸びたり縮んだりしていることに注目してください。いつも同じことを、決められたとおりに決められただけやっているのでは、変化する状況の中でシステムパフォーマンスは維持できないのです。

この図では、システムの機能が維持されている状態だけを図示していますが、システムの機能低下を最小限に留めたり、機能低下を素早く回復させたりするのにも現場のしなやかさが必要であることは言うまでもないでしょう。

しなやかな現場力、すなわちレジリエントな現場第一線に必要なものとして、ほかにもいろいろありますが、本章では次の５つを挙げたいと思います。

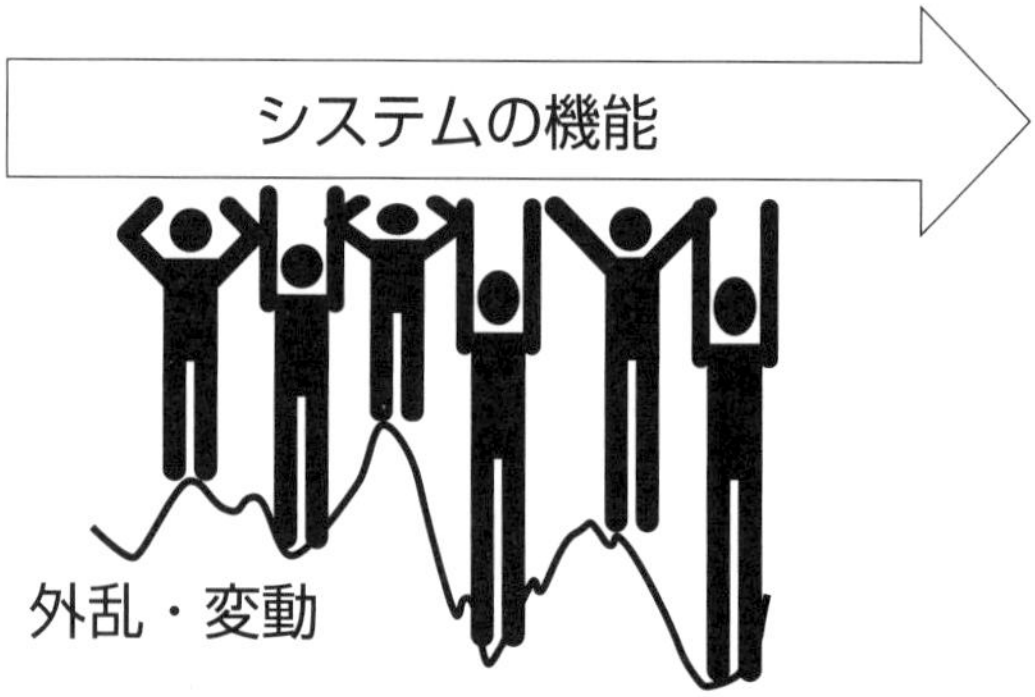

図2－3　しなやかな現場力がシステムの機能を維持している

①　組織市民行動
②　心理的安全性
③　チーミング
④　リーダーシップ
⑤　ノンテクニカルスキル

このあと1つひとつ説明していきましょう。

組織市民行動

組織市民行動とは、職務を遂行する上で必要ではないけれど、組織のパフォーマンスに貢献する行動のことです[3]。例えば、職場に配属された新人に（上司に命じられたわけではないのに）仕事を教えてあげたり、忙しそうにしている同僚の仕事を手伝ってあげたり、職場に落ちているゴミを拾ってゴミ箱に捨てたり、安全面あるいはサービス面で気になることを報告したり、効率を高める方法を自発的に提案したりすることです。

組織市民行動には次のような特徴があります[4]。

①　従業員の職務内容に含まれない
②　仕事として行うように訓練・指導をされていない
③　それをしなくても非難されないし、したからといって褒められるとは限らない

２０１８年４月７日の午後、台北から成田に到着した日本航空８０２便は、飛行中にバードストライク（鳥と衝突）があり、エンジンの前部を被っているノーズカウルという部品の上部が凹んでしまいました。この機体は、折り返して18時発の台北行き８０９便となる予定でしたが、折り返し便として飛行させる前にエンジンの点検と、ノーズカウルの交換が必要です。成田には交換部品がないため、羽田から部品を取り寄せる必要があります。しかし、部品の到着を待って作業を開始すると、整備完了が成田空港の門限より遅くなってしまいます。周辺地域との取り決めで深夜から早朝までは離発着できないのです。当時

の成田空港の門限は23時でした。

代わりの機体があれば８０９便をその夜のうちに出発させられるのですが、代用できる機体がありません。日本航空のミッションディレクター（運航の責任者）は、しかたなく、８０９便の出発を翌朝とすることとし、空港スタッフは必死でホテルを探しましたが、当夜の成田近辺のホテルは混んでいて、全員の部屋を用意できないことが分かりました。お客さんに空港のベンチで一夜を明かしてもらうしかなさそうです。

その時、整備チームは１つの解決策を提案しました。翌日飛行予定の同型機が夜間駐機しているので、この機体からノーズカウルを取り外して凹んだカウルと交換し、カウルを外された機体には、羽田から届く部品を夜間作業で取り付け、翌日予定どおり飛ばそうというのです。この作戦はうまくいき、８０９便は4月7日のうちに台北に向けて出発し、８０９便の機体にノーズカウルを提供した機体も翌朝までに新しいカウルを取り付け、４月８日に予定どおり出発できました。

この事例は、システムの機能をできるだけ維持し、外乱や変動でやむを得ず機能が低下する場合は、それを最小限に留め、速やかに回復させるというレジリエンスを、しなやかな現場力によって実現した例とみなすことができます。整備部門は「部品が来ないんだから仕方ないよ」と作業開始を部品到着まで待っても、何も問題はなかったでしょう。しかし、組織市民行動を発揮することで、日本航空による旅客輸送というシステムのパフォーマンスをできるだけ高い水準に保つことに成功したのです。

心理的安全性

心理的安全性の研究で名高いエイミー・エドモンドソンは『恐れのない組織』というタイトルの著書の中で、「心理的安全性はＶＵＣＡの世界で高パフォーマンスをあげるために不可欠なもの」（78頁）と書いています(5)。

心理的安全性とは自分の考えを素直に表明したり、相手に反論したり間違いを指摘しても人間関係が悪くなる心配がないという信念が共有されているチームの特性です。「あの人には思ったことを何でも気兼ねなく言える」というような1対1の対人関係ではなく、チーム全体がそういう状態になっているということです。また、内向的とか社交的とか、そういう個人の性格特性に関連したものではなく、あくまで、チームの特性だという点にも留意してください。

心理的安全性という言葉は、１９６０年代組織心理学者のエドガー・シャインがビジネスパーソン向けの研修の中で使用したのが始まりですが、後にハーバードビジネススクールのエドモンドソンによって実証的に研究が進められ、定量的に評価する尺度も作られました。さらにグーグルの「アリストテレス・プロジェクト」という調査研究で、プロジェクトチームが高い成果をあげる要素の中で最も重要なのが心理的安全性だと発表されたために一躍脚光を浴びました。

筑波大学の落合由子と大塚泰正が2022年に発表した「心理的安全性尺度　日本語版」の質問項目は次の5項目です[6]。

- 私の職場では、自分の仕事についての本音を話すことができる。
- 私の職場では、自分の考えを自由に話すことができる。
- 私の職場では、本音を話すことが推奨されている。
- 私の職場では、たとえ自分が他の人と異なる意見を持っていても、非難されることはない。
- 職場で本音を語ると、自分自身に害が及ぶのではないか不安を感じる。（逆）

これらの質問に「1　全く当てはまらない」から「5　非常によく当てはまる」までの5段階で答えてもらいます。ただし、(逆)と書いてある質問は1～5を逆にしてください。この回答を職場全体で平均すると、その職場の心理的安全性が測れます。必要に応じて「職場」を「チーム」、「グループ」、「係」、「会社」などに置き換えても構いません。

心理的安全性は開発プロジェクトのパフォーマンスを高めるだけでなく、医療、航空、鉄道などの分野で、事故を予防する上で重要な鍵となることが認識されています。「おかしいな」「間違っているんじゃないかしら」と感じたとき、それを素直に口に出せるかどうかが、患者や乗客の命を救えるかどうかの分かれ道になるかもしれないからです。

それなのに、なぜ思ったことを率直に発言したり質問したりできないのでしょうか。それには次のような理由が考えられます。

① 無知だと思われたくない
② 自信がない
③ 嫌われたくない
④ 邪魔をしたくない

⑤　面倒くさい

ところで、こういう気持ちで発言にブレーキがかかるのは日本人独自の心理で、欧米人は言いたいことをずけずけ言えるのではないかと思うかも知れませんが、そうでもないようです。エドモンドソンによると、尋ねたいのに尋ねられなかったとか、アイディアを提供したいのに黙っていたというような経験は多くの人が持っており、人は言いたい内容が組織や顧客、あるいは自分自身にとって重要だと思われるときでさえ、黙っていることが多いということがインタビュー調査から明らかになったそうです。

チーミング

チーミングという英語はチームという言葉にｉｎｇが付いたものです。ちょっと英語に強い人はチームという名詞にｉｎｇが付くのはおかしいと思うでしょう。でも、もっと英語ができる人はteamという動詞があって、「チームを組む」「チームを作る」という意味があることを知っているでしょう。と、偉そうなことを書きましたが、恥ずかしながら私もエドモンドソンの著書『ＴＥＡＭＩＮＧ』(7)（邦題『ゲームが機能するとはどういうことか』）

での言葉を知ったのでした。

また、エドモンドソンです。そう、心理的安全性のエイミー・エドモンドソン。じつは、心理的安全性はエドモンドソンがチーミングの研究の中から見いだし、チーミングのための重要な要素の1つとして提唱したものだったのです。ですから、先にチーミングの説明をしてから心理的安全性に入るべきだったかもしれませんが、本章では、話の流れの都合で先に心理的安全性の話をしました。

さて、チームワークとチーミングはどう違うのでしょう。通常、チームには決まったメンバーがいます。たいていはリーダーもいます。野球やサッカーのチームを思い浮かべてください。固定したリーダーに率いられた固定したメンバーがよいパフォーマンスをあげるために求められるのがチームワークです。しかし、エドモンドソンが対象にするチームは、メンバーがいつも同じとは限らず、メンバー内とメンバー外の境界も曖昧です。そんなチームのメンバーが共通の目的に向かって協働し、チームとして最高のパフォーマンスを発揮するにはどうすればよいかを論じたのが『TEAMING』という本なのです。

病院に入院した1人の患者の治療にあたる医療チームを考えてみましょう。主治医がいて、同じ病棟の医師がいて、看護師は交替制勤務のため時間帯や日によって担当者が変わります。医師が薬を処方したら薬剤師が調剤し、それを看護師が患者に渡したり点滴や注射で投与したりし、血液検査がオーダーされたら看護師が採血して検査技師が検査します。レントゲン検査やCTスキャンの際に患者を検査室に連れて行って検査を受けさせるのは看護助手かもしれません。手術の日には執刀医、助手を務める医師、麻酔科医、手術室の看護師、人工心肺装置を操作する臨床工学技士、術後に患者のケアをするICU（集中治療室）の看護師などがチームに加わります。これらのプレーヤーはみなチーム医療のメンバーですが、必ずしもメンバーが固定しているわけではありません。それでも、チームとして機能しなければ質の高い、安全な医療は実現しません。

世界保健機構（WHO）が2009年に制定した「安全な手術のためのガイドライン[8]」では、手術で患者にメスを入れる直前に1分以内の「タイムアウト」をとることを推奨しています。このとき使うチェックリストに、患者の氏名・術式・皮膚切開の場所、予想される重大なイベント、予想出血量、滅菌は確認したかなどと並んで、「チームメンバー全員が氏名と役割を自己紹介したことを確認する」という項目があります。手術前の準備が慌ただしく終わって、「さあ行くぞ！」とはやる気持ちを抑えて、ちょっと手を止め、全員が集まって最終確認するとともに、自己紹介することで、よりよいチーミングが実現できるのです。

また、多くの病院でチーミングを発揮することを目的とした「チームステップス」（TeamSTEPPS®）という研修が行われています[9]。私も、医療の質・安全学会が主催するチームステップスに一度参加させてもらったことがありますが、講義、ビデオ、ゲーム、グループディスカッションを組み合わせてチーム医療に必要なノンテクニカルスキルを効果的に、かつ楽しく学べるすばらしいプログラムでした。

『ＴＥＡＭＩＮＧ』の中でエドモンドソンは、次のいずれかの状況で成功するにはチーミングが不可欠であると書いています。

- ミスを最小限にしながら複数の目標を達成する必要のある仕事をしているとき
- 高いレベルのコミュニケーションと緊密な協調を維持しながら、次から次へとさまざまな状況に対応しなければならないとき
- 多様な分野の考え方をまとめることが役立つとき
- 異なる場所にいながら協働するとき
- 仕事の性質が変わり、事前に計画された協調が不可能、または非現実的になったとき

●複雑な状況がすばやく処理・統合・活用されなければならないとき

まさに、変化が激しく、先が読めないVUCAの時代にレジリエンスを発揮するためにチーミングが必要だということが分かります。

リーダーシップ

チーミングはチーム全員で作り上げていくものですが、やはりリーダーの役割は重要です。しかし、メンバーを引っ張っていく強力なリーダーではなく、チームのミッションとビジョンを伝えて理解させた上で、メンバーの意見を引き出し、各自が能力を発揮できるよう支援するリーダーが求められます。これは近年のリーダーシップ論で注目されている「サーバント・リーダーシップ」や「インクルーシブ・リーダーシップ」の特徴と似ています。

サーバント・リーダーシップとはロバート・グリーンリーフが1970年代に提唱したリーダーシップ論[10]で、リーダーはまず相手に奉仕をし、その上で相手を導く存在だと定義します。サーバント・リーダーに求められる属性として、傾聴、共感、癒やし、気づき、説得などが挙げられています。東京大学の小林由佳（現在は法政大学）らが公表している日本語版サーバント・リーダーシップ尺度の質問項目の一部を紹介します[11]。

●私の上司は、私が仕事をうまく進められるよう必要な情報を与えてくれる
●私の上司は、私自身の成長を支援してくれる
●私の上司は、部下が新しいアイディアを出せるように促してくれる
●私の上司は、批判から学ぶ
●私の上司は、長期的なビジョンを持っている
●私の上司は、自分の限界や弱さについてオープンにしている

一方、インクルーシブとは「包括的な」という意味ですが、インクルーシブ・リーダーシップは２００８年にエドウィン・ホランダーによって提唱されました[12]。現在、多くの組織にはダイバーシティー（多様性）とインクルージョン（包括性）が求められています。さまざまなジェンダー、年齢、文化的背景、経験、思想などを持つ多様な人々が、チームのメンバーとして受け入れられ、自分らしさを発揮できると感じられる組織がインクルー

シブな組織です。インクルーシブ・リーダーシップとは多様性に富む人材が集まるチームがパフォーマンスを発揮するために必要なリーダーシップのことです。

ジュリエット・バークとアンドレア・エスペディードは、そのようなリーダーシップを発揮しているリーダーの特性や行動として次の６つを挙げています。[13]

① 目に見えるコミットメント
② 謙虚さ
③ バイアスへの認識
④ 他者への好奇心
⑤ 文化的知性
⑥ 効果的なチームワーク

インクルーシブ・リーダーシップの観点から上司を評価する尺度として、アブラハム・カーメリたちが開発した尺度[14]を松下将章らが日本語訳した質問[15]の一部を紹介します。

●私の上司は、新しいアイディアを聞くことに対して寛大である
●私の上司は、悩みの相談に応じてくれる
●私の上司は、仕事上の質問に応じてくれるので、相談してみたいと思う
●私の上司は、新たに生じた問題について議論するために面会しやすい

リーダーはまた、チーム内の心理的安全性の醸成に大きな影響をもちます。強面で、部下の意見を聞かず、なんでも自分で決めて従わせるようなリーダーが率いるチームには心理的安全性が生まれるわけがありません。パワハラじみた叱責や罵倒をする上司や先輩がいると、誰も自分の意見を言ったり、アイディアを提案したりしないでしょう。間違いを指摘するなど、怖くてできませんよね。そんなチームは新しい状況に直面したときに、うまく問題を解決できないし、ちょっとした外乱や変動にも対応を誤って大きな失敗をしがちです。つまり、システムのレジリエンスにとってマイナスなのです。

エドモンドソンは心理的安全性を高めるためのリーダーシップ行動として次のようなことを推奨しています。先に紹介したサーバント・リーダーシップ尺度やインクルーシブ・リーダーシップの質問項目とかなり重複していますね。

●直接話のできる親しみやすい人になる
●現在持っている知識の限界を認める
●自分もよく間違うことを積極的に示す
●参加を促す
●失敗は学習する機会であることを強調する
●具体的な言葉を使う

実際、カーメリや松下の研究グループはインクルーシブ・リーダーシップがチームの心理的安全性と関係が深いことを実証しています。

エドモンドソンはまた、リーダーの自己評価のためのチェックリストも提案していますが、それをうんと簡略化したものが**表2-1**です。

ところで、リーダーシップは必ずしも役職が上位の人だけが発揮すべきものではありません。チームの中の一人ひとりがリーダーシップを発揮することが職場を強くするという「シェアド・リーダーシップ」の考え方があるのです[16]。そもそも、リーダーシップは上に

表２-１　リーダーのチェックリスト

（E・C・エドモンドソン『恐れのない組織』p.227-228の表を筆者が大幅に簡略化したもの）

Ⅰ．土台を作る	仕事をフレーミングする	仕事の性質を明らかにして、理解の共有を求めているか
		初めての試みを最初から成功させるのは無理だと明確に述べているか
	目的を際立たせる	私たちの仕事がなぜ重要なのか、誰の役に立つのかをはっきり伝えているか
		従事している仕事や業界の中で危険にさらされているものについて頻繁に話をしているか
Ⅱ．参加を求める	状況的謙虚さ	私は、自分がすべての答えを持っているわけではないと思っていることを、みんなに確実に知らせているか
		現代の状況においては、誰もが謙虚になり、好奇心を旺盛にして次に起きることにアンテナを張る必要があることを、明確に伝えているか
	発言を引き出す問い	自分の考えを伝えるだけでなく、どれくらいみんなに質問しているか
		私が発する問いには、広げる問いと深める問いが適度に混ざり合っているか
	システムと仕組み	考えと懸念を次々引き出す仕組みを作っているか
		その仕組みによって心理的安全性が生まれ、率直な対話ができているか
Ⅲ．生産的に対応する	感謝を表す	私は相手の発言に耳を傾け、今聞いていることが大切であるというサインを送っているか
		アイディアや疑問を話してくれる人に感謝を伝えているか
	失敗を恥ずかしいものではないとする	失敗を恥ずかしいものではないとするためにできる限りのことをしているか
		悪い知らせを誰かが持ってきたとき、それを前向きに経験する努力をしているか
		失敗した人に支援の手を差し伸べて次のステップに導いているか
	明確な違反を処罰する	この組織における「非難されても仕方のない行為」が何かを明確にしているか
		明らかな違反に対し、しかるべき厳格な対応をしているか

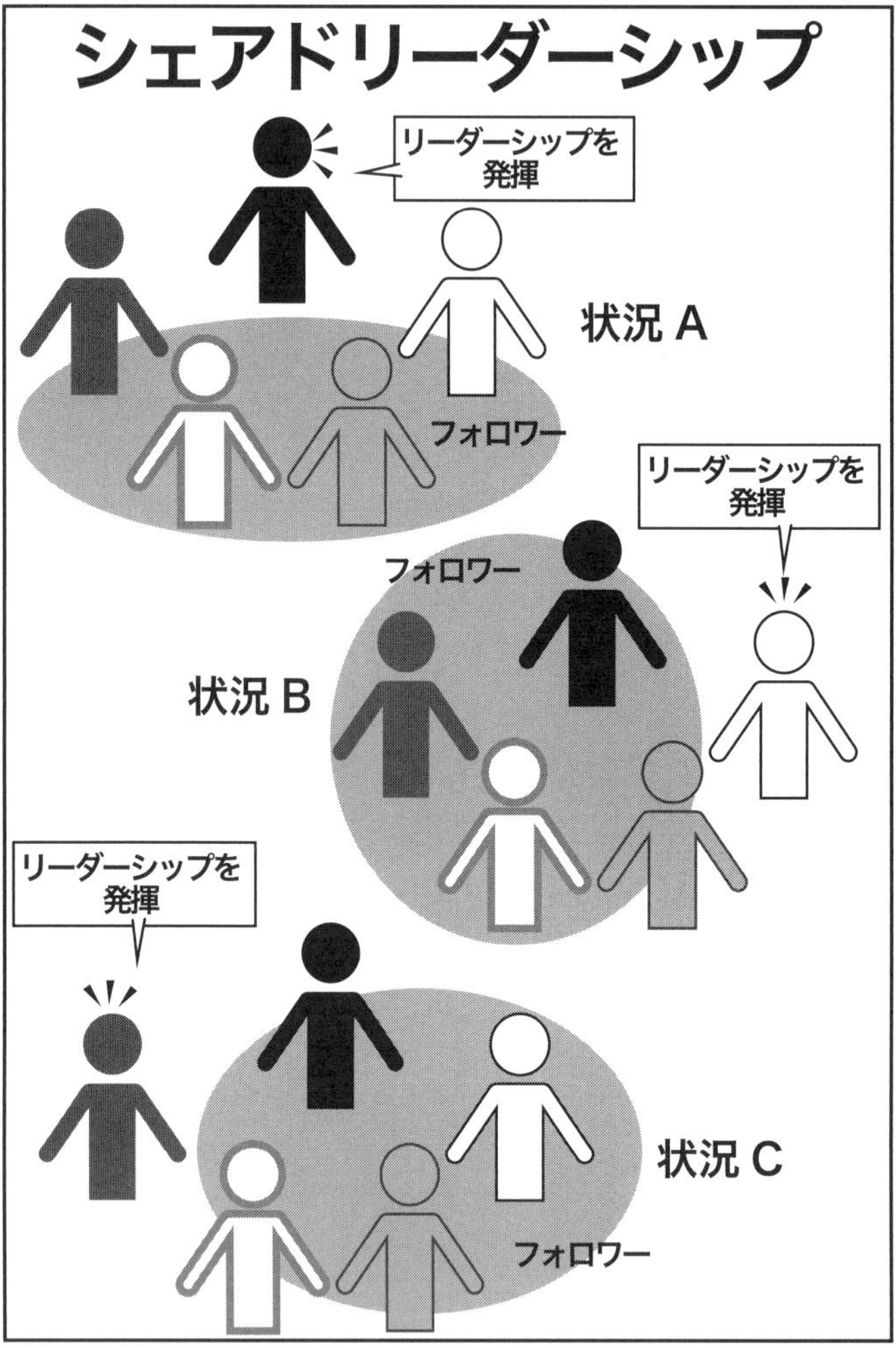
シェアドリーダーシップ
リーダーシップを発揮
状況 A
フォロワー
リーダーシップを発揮
フォロワー
状況 B
リーダーシップを発揮
状況 C
フォロワー

立つものが目標を達成するために部下を引っ張っていくものではないのです。それはリーダーシップではなくマネジメントです。心理学ではリーダーシップを、「職場の目標を達成するために他のメンバーに及ぼす影響力」と定義します。ですから、職制に関わらず、必要な状況でその能力のある人が誰でもリーダーシップを発揮すればよいのです。組織のメンバーが必要なときに必要なリーダーシップを発揮し、他のメンバーはそのときフォロワーになるというのがシェアド・リーダーシップの状態です。

シェアド・リーダーシップが行われるためには心理的安全性が必要です。それによりチーミングがうまく機能してしなやかな現場力が生まれるのです。

ただし、リーダーシップの使い分けをしなければならない仕事もあります。消火活動中の消防隊や、緊急事態の最中にあるコクピット、戦闘中の軍隊などでは、言うまでもないことですが、メンバーの参加を促したり成長を支援したりしている場合ではありません。もっと強力なリーダーシップが必要です。こうした状況に対応するためにも、平時にサーバント・リーダーシップやインクルーシブ・リーダーシップを発揮してください。その蓄積が切迫した状況でもメンバーが能力を発揮して、いざというときのチームパフォーマンスにつながるでしょう。

ノンテクニカルスキル

仕事の遂行に直接必要なスキル（技能）をテクニカルスキルといい、仕事を安全かつ円滑に進める上で必要なテクニカルスキル以外の技能をノンテクニカルスキルといいます。テクニカルスキルは、タクシードライバーなら自動車の運転、航空パイロットなら飛行機の操縦、医師なら病気の診断や治療です。これに対し、ノンテクニカルスキルは、タクシードライバーなら乗客との上手なコミュニケーション、航空パイロットの機長なら副操縦士や客室乗務員に対するリーダーシップ、医師なら看護師をはじめとする医療スタッフとのチームワークなどが挙げられます。

ノンテクニカルスキルの研究で名高いローナ・フリンの定義では、ノンテクニカルスキルとは「テクニカルスキルを補って完全なものとする、認知的、社会的、そして個人的なリソースとしてのスキルであり、安全かつ効率的なタスクの遂行に寄与するもの」です。[17] フリンが著書の『現場安全の技術　ノンテクニカルスキル・ガイドブック』に挙げているノンテクニカルスキルの例は、「状況認識」「意思決定」「コミュニケーション」「チームワーク」「リーダーシップ」「ストレス・マネジメント」「疲労への対応」ですが、職種や状況によってどのようなノンテクニカルスキルが重要かは変わります。表2-3にいろいろな

表2-3　いろいろな仕事に求められるノンテクニカルスキル

麻酔科医※1	チームワーク
	タスク管理
	状況認識
	意思決定
医療従事者※2	状況認識
	ストレス／疲労管理
	意思決定
	コミュニケーション／チームワーク
	リーダーシップ／フォロワーシップ
化学プラントの従業員※3	状況認識
	コミュニケーション
	意思決定
	リーダーシップ
原子力発電所における緊急時対応を行う現場指揮者※4	コミュニケーション
	ストレス下の意思決定
	ストレス下の人間関係構築
	権限委譲
	状況把握
	状況評価（認識）
	組織管理
	非常事態への事前準備
航空パイロット※5	状況認識
	問題解決と意思決定
	コミュニケーション
	リーダーシップとチームワーク
	ワークロード・マネジメント（作業負荷管理）

出典
※1　ローナ・フィリン『現場安全の技術』海文堂出版、2012年
※2　相馬孝博『これだけは身に付けたい　患者安全のためのノンテクニカルスキル超入門』メディカ出版、2014年
※3　南川忠男『産業現場のノンテクニカルスキルを学ぶ　事故防止の取り組み』化学工業日報社、2017年
※4　彦野賢ほか『政府事故調書記録からのノンテクニカルスキル教訓の抽出』*INSS JOURNAL* Vol. 23 2016 R-1
※5　平成29年3月30日国空航第11576号「Competency-based Training and Assessment Programの審査要領細則」（国土交通省）

仕事にとくに求められるノンテクニカルスキルの種類を研究や実践活動に基づいて記載しました。みなさんの仕事にとって重要なノンテクニカルスキルはなんだと思いますか？

注

（1） Hollnagel, E., Woods, D. D., & Leveson, N. C.（Eds.）（2006）*Resilience Engineering: Concepts and Precepts*, Ashgate. 北村正晴（監訳）『レジリエンスエンジニアリング：概念と指針』日科技連出版社、２０１２年

（2） Cook, R. I., & Woods, D. D.（1994）Operating at the sharp end: The complexity of human error. In M. S. Bogner（Ed.）, *Human error in medicine*（pp.255-310）. Lawrence Erlbaum Associates, Inc.

（3） Organ, D. W.（1988）*Organizational Citizenship Behavior: The Good Soldier Syndrome*. Lexington Books.

（4） Podsakoff, P. M., MacKenzie, S. B., & Hui, C.（1993）Organizational citizenship behaviors and managerial evaluations of employee performance: A review and suggestions for future research. *Research in Personnel and Human Resources Management*, Vol.11, pp.1-40.

（５）Edmondson, A. C.（2019）*The Fearless Organization*, John Wiley & Sons. 野津智子（訳）『恐れのない組織』英治出版、２０２１年

（６）Ochiai, Y. & Otsuka, Y.（2022）Reliability and validity of the Japanese version of the psychological safety scale for workers, *Industrial Health*, 60（5）, pp.436-446.

（７）Edmondson, A. C.（2012）*Teaming*, John Wiley & Sons. 野津智子（訳）『チームが機能するとはどういうことか』英治出版、２０１４年

（８）日本麻酔学会「ＷＨＯ安全な手術のためのガイドライン２００９」日本麻酔学会、２０１５年

（９）国立保健医療科学院（編）『チームＳＴＥＰＰＳ® ２・０ポケットガイド』一般社団法人医療安全全国共同行動、２０１６年

（10）Greenleaf, R.（1977）*Servant leadership: A Journey into the Nature of Legitimate Power and Greatness*. Mahwah, NJ: Paulist Press. 金井嘉宏（監訳）『サーバントリーダーシップ』英治出版、２００８年

（11）Kobayashi, Y. et al.（2020）Servant Leadership in Japan: A Validation Study of the Japanese Version of the Servant Leadership Survey（SLS-J）, *Frontiers in Psychology*, Vol.11, Article 1711.

（12）Hollander, E.（2009）*Inclusive Leadership: The Essential Leader-Follower Relationship*, Routledge.

（13）Bourke, J. & Espedido, A.（2019）Why inclusive leaders are good for organizations, and how to become one, *Harvard Business Review*, March 29.

（14）Carmeli, A. et al.（2010）Inclusive Leadership and Employee Involvement in Creative Tasks in the Workplace: The Mediating Role of Psychological Safety, *Psychology Faculty Publications*, University of Nebraska.

（15）松下将章・麓仁美・森永雄太「インクルーシブ・リーダーシップが上司に対する援助要請意図に与える影響のメカニズム」日本労働研究雑誌、２０２２年８月号、82～94頁

（16）石川淳『シェアド・リーダーシップ　チーム全員の影響力が職場を強くする』中央経済社、２０１６年

（17）Flin, R., O'Connor, P., & Crichton, M.（2008）*Safety at the Sharp End: A Guide to Non-technical Skills.* England：Ashgate. 小松原明哲・十亀洋・中西美和（訳）『現場安全の技術：ノンテクニカルスキル・ガイドブック』海文堂出版、２０１２年

第3章　セーフティⅠとセーフティⅡ

安全の指標

中央労働災害防止協会が毎年発行している『安全の指標』という冊子があります。この本の最初の20数ページは「労働災害の現況」というタイトルで、最近20~30年の労働災害の推移や、前の年に起きた労働災害の詳しい統計が、カラー印刷でずらりと並んでいます。労働災害による死亡者数、死傷者数(休業4日以上)、度数率(100万延べ実労働時間当たりの労働災害による死傷者数で、労働災害の頻度を表す)、強度率(1000延べ実労働時間当たりの延べ労働損失日数で、災害の重さの程度を表す)、年千人率(労働者1000人当たり1年間に発生した死傷者数)などが、業種別、事業者規模別に表示されているほか、災害の種類(転倒、墜落・転落、挟まれ・巻き込まれ、交通事故などの事故の型)別、年齢階層別などの統計も図と表でみることができます。

多くの企業で「安全目標」というのが立てられます。「死亡災害ゼロ、有休災害半減」とか、「重大事故ゼロ、交通事故20%減」とか「重大インシデント0件、ヒューマンエラーによる不具合5件以下」とかです。いずれも、安全を安全が損なわれた数で測っています。

運輸安全委員会は航空事故調査委員会に始まり、後に鉄道事故やバス事故、船舶事故に守備範囲を広げていった事故調査機関です。消費者庁には消費者安全調査委員会という組織がありますが、これも消費者が製品を使うことによって死んだりけがをしたりした場合に原因調査を行う事故調査機関です。また、インターネットで「製品安全」を検索するとと経済産業省の「製品安全に関する取組について」と題する資料がヒットしました。これによると、製品安全に関する経済産業省の取組みは大きく「製品事故の未然防止」と「被害の拡大防止」の二本柱からなっています。内閣府の食品安全委員会は「科学的知見に基づき客観的かつ中立公正にリスク評価を行う機関」と書かれています。つまり、「安全」を冠している国の組織の多くは事故やリスクを調査しているのです。

リスクとは望ましくない結果が生じる可能性または確率です。その確率に損害額を掛けた金額でリスクの大きさを測る場合もあります。リスクの専門家は安全を「リスクが許容水準以下であること」と定義します。

つまり、安全とは、労働災害、事故、けが、食中毒、エラーなど望ましからざる事象がないこと、または少ないことを意味しているようです。しかし、これって、料理のおいしさをまずい程度で測ったり、夫婦仲の良さを夫婦げんかの回数で測ったりしているようなものですよね。安全という本来ポジティブな、希求している状態を、それが損なわれたネガティブな事象やその可能性で評価しているのです。

けんかゼロ
＝
仲良し？

安全マネジメント

安全マネジメントを安全管理と訳してもよいのですが、「管理」という言葉には「管理監督」のような上から押さえつけるようなニュアンスが感じられます。近年は「人事管理」も「人材（または人財）マネジメント」とか「ヒューマン・リソース・マネジメント」などの言葉に置き換わっています。「マネジメント」には「管理」だけでなく「経営」、「運営」、「やりくり」の意味が含まれます。本書では、設備、人事、教育、賞罰、作業手順の策定・改廃など、安全に関わるさまざまな施策を安全マネジメントという言葉で表すことにします。

さて、現在の安全マネジメントは、事故や品質不良などの「望ましからざる事象」を減らすことを目標にしています。多くの会社では「安全マネジメント＝事故防止活動」です。とくに、事故の再発防止が強く求められます。

昔は（組織によっては今でも）、人がミスをして事故が起きると、その個人の失敗として叱責や処罰を与え、同じ仕事をしている人やその管理者に同じ失敗を繰り返さないよう注意を促すという対応で済まされていました。

その後、ヒューマンファクターズの考え方が広まって、ヒューマンエラーには道具や設備、作業環境、作業計画、教育・訓練などさまざまな要因が事故発生に関与しているから、それを特定して改善しなければならないと認識されるようになりました。このために考案された事故分析手法が、事故の要因を４つのＭ（Man《マン》・Machine《マシン》・Media《メディア》・Management《マネジメント》）に整理して、４つのＥ（Engineering《エンジニアリング》・Education《エデュケーション》・Environment《エンヴァイロンメント》・Example《エグザンプル》）で対策する４Ｍ４Ｅ、事故の要因を上流にまでさかのぼって突き止め、その対策を考えるＲＣＡ（Root《ルート》 Cause《コーズ》 Annalysis《アナリシス》）や「なぜなぜ分析」などです。

さらに、チェルノブイリ原発事故やスペースシャトル・チャレンジャー号事故（ともに１９８６年）などをきっかけとして、組織マネジメントや組織風土が重要な事故要因とみなされるようになります。「安全文化」という言葉が安全マネジメントのキーワードになったのもこの頃からです。

個人・チームへのアプローチ、システムへのアプローチ、組織へのアプローチは時代とともに置き換わり、前のものが捨てられていったわけではありません。個人へのアプローチにしても、単に処罰したり注意を促したりするのでなく、現在では、適性診断や、危険予知訓練、チームワーク訓練、ＣＲＭ（Crew《クルー》 Resource《リソース》 Management《マネジメント》）などの手法がとり入れられています。つまり、これまでのアプローチを包摂する形で発展していったので

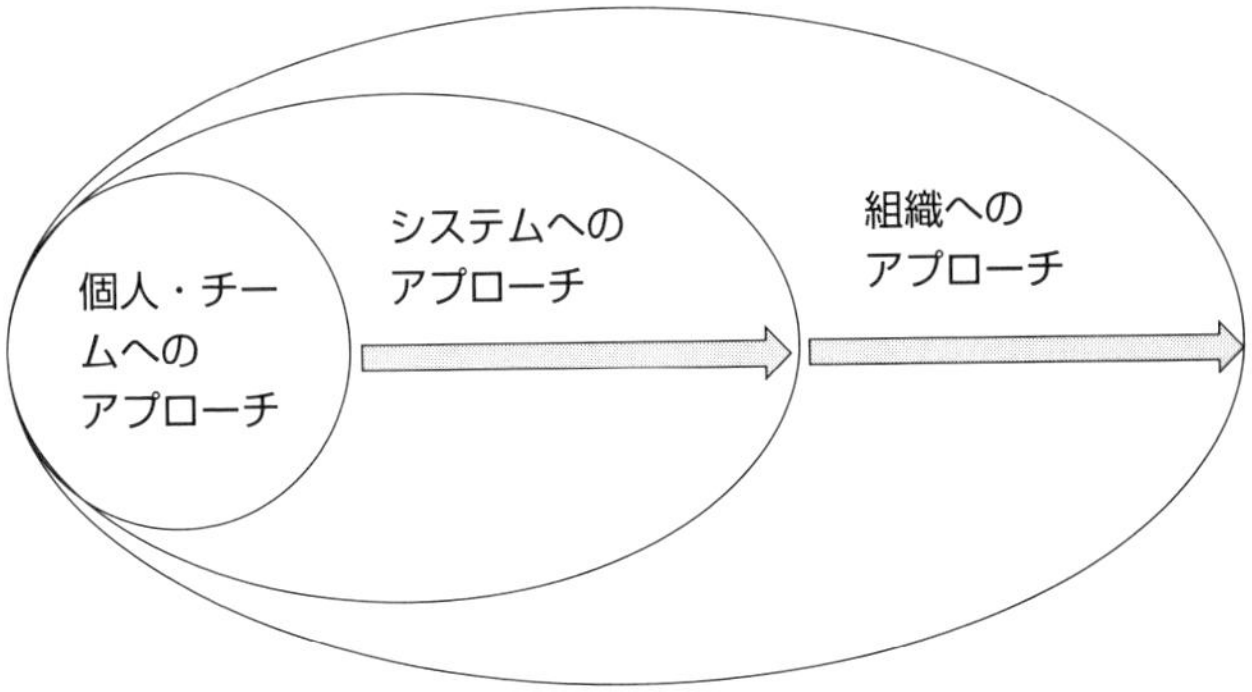

図３－１　安全マネジメントの発展

す（図３－１）。

セーフティ・マネジメントシステム（SMS）

２０００年前後に、マネジメントシステムの考え方が安全の分野に入ってきました。

マネジメントシステムとは、組織が目標を定め、それを達成するための計画を立て、必要な活動を行い、途中で進捗状況を評価し、必要に応じて計画や目標を修正してまた活動を行う営みです。どのマネジメントシステムでもトップマネジメントの関与と、ＰＤＣＡサイクルを通した継続的な改善が重視されます。ＰＤＣＡとは、計画（ＰＬＡＮ）、実行（ＤＯ）、評価（ＣＨＥＣＫ）、改善（ＡＣＴ）の略です。

ＩＳＯ（国際標準化機構）は、１９８７年に品質管理のマネジメントシステム９０００シリーズを規格化しました。日本では1991年にISO規格がJIS化され、普及が進みました。1996年には環境マネジメントシステムであるISO14001、さらにはITサービス、食品安全、事業継続、情報セキュリティなどに関するマネジメントシステムが次々と規格化されました。そして、2018年に労働安全衛生マネジメントシステムISO45001の登場です。

じつは労働安全衛生については、イギリスが先行して1996年にBS8800というマネジメント規格を作り、それを原形にして日本でも厚生労働省が1999年に「労働安全衛生マネジメントシステムに関する指針」を発出、国際連合の専門機関であるILO（国際労働機関）も2001年にILO-OSH2001という労働安全衛生マネジメントシステムのガイドラインを採択しました。ISO45001（JISQ45001／45100：2018）はこれら先行するマネジメントシステムと本質的に同じものです。

ISO45001には、「労働安全衛生マネジメントシステムの目的は労働安全衛生リスクおよび労働安全衛生機会を管理するための枠組みを提供すること、労働安全衛生マネジメントシステムの狙いおよび意図した成果は、働く人の労働に関係する負傷および疾病を防止すること、および安全で健康的な職場を提供することである。したがって、効果的な予防方策および保護方策をとることによって危険源を除去し、労働安全衛生リスクを最小化することは、組織にとって非常に重要である」と書かれています。やはり、危険源を除去することで負傷と疾病の防止を測るのが安全衛生マネジメントの目的というわけです。

このほか、労働安全衛生以外の分野におけるＳＭＳとしては、海事には国際安全管理コード（ＩＳＭコード）、航空には国際民間航空機構（ＩＣＡＯ）のセーフティ・マネジメント・マニュアル（ＳＭＭ）、わが国の航空・鉄道・船舶・陸上輸送をカバーする運輸安全マネジメントシステムなどがあります。

安全マネジメントの問題点

マネジメントの後ろにシステムが付いても付かなくても、安全の指標が事故・不具合の件数である限り、安全マネジメントの成果は、どれだけ事故を減らせたか、あるいは、どれだけ長期間事故を起こさずにいたか、事故や不具合の要因となり得るヒューマンエラーをどれだけ減らせたかで評価されます。

自然災害や設備故障は別として、多くの事故・トラブルには人間のミスや違反（ヒューマンエラー）が関与しています。自然災害や設備故障が主原因の場合でも、事前の備え、避難、メンテナンスなどに関して人間の判断、意思決定の失敗（ヒューマンエラー）が背景要因にあることがほとんどです。また、多くの安全担当者は、「重大な災害の下に多くの小さな事象があり、その下に無数の不安全行動・不安全状態が隠されている、重大な事故を減らすには不安全行動・不安全状態を減らさなければならない」というハインリッヒの法則を信奉しています。

したがって、安全マネジメントの努力はヒューマンエラーを減らすことに向けられます。エラーを防ぐには、失敗しないやり方を決め、みながそれを守ればよいとされます。失敗しないやり方（標準作業）、失敗しても同僚がそれを発見して修正するダブルチェックの手順などがマニュアルに記載され、そのマニュアルを順守することが強く求められます。

事故やトラブルが起きる度にマニュアルが改訂され、手順が増えていきます。事故が起きなくても、SMSの目標が達成できなかったり、引き上げられたりした場合にも「さらなる安全」を求めてマニュアルに手順が追加されます。こうして、守らなければならない手順が毎年増えていき、現場は忙しくなります。失敗を防ぐための手順のせいで忙しくなり、エラーを引き起こしたり、全部を守り切れなくて省略したりするという副作用が起きます。現場は行動を型にはめられて裁量の余地がなくなり、決められたことを決められた

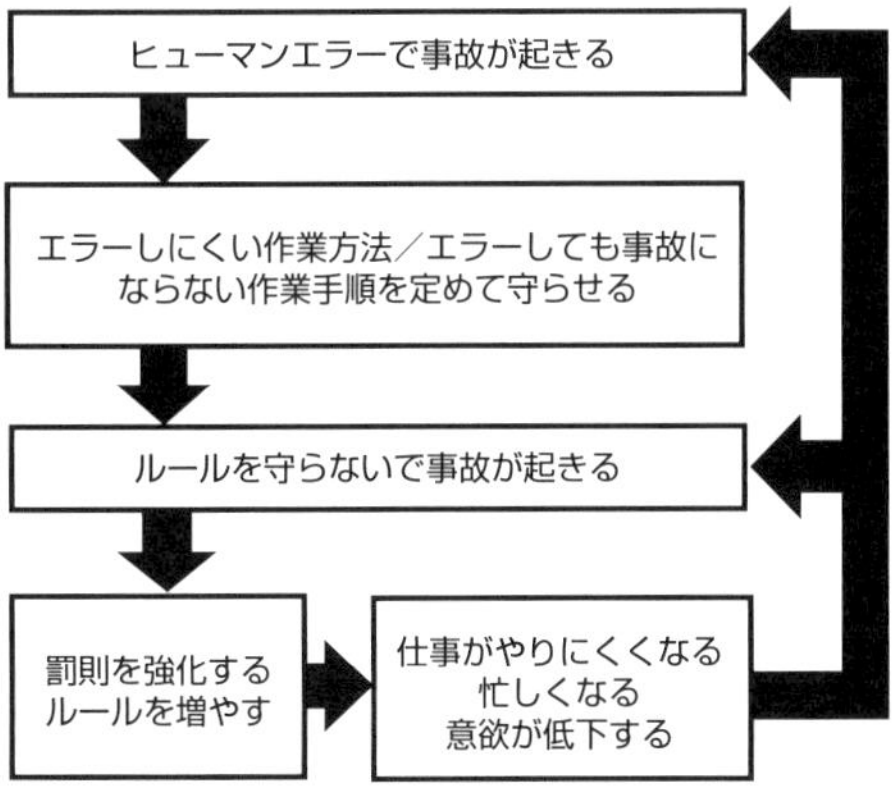

図3－2　ヒューマンエラー対策の悪循環

とおりにやるだけの仕事では意欲が削がれます。作業意欲が下がればうっかりミスや違反の確率が上がります。あなたの組織はこのようなヒューマンエラー対策の悪循環に陥っていませんか？（図3－2）

そもそも、仕事をする目的は失敗を避けることではありません。現場はいい仕事をしたいのです。消費者が欲しくなる品物を作ること、また利用したくなるサービスを提供すること、買い手が納得する製品を妥当な値段で売ること、患者や家族に感謝されるような医療を提供すること、社会に貢献するインフラを作り、維持、管理することです。失敗を避けるために手順を増やして、現場の意欲を削ぐマネジメントばかりしている組織は、いずれ淘汰《とうた》されてなくなるでしょう。

マニュアルを作って守らせるだけでは安全は達成できない

これまで経験したことのないような新しいものごと（災害や事件）が起きて、安全、品質、サービスなどが損なわれると、再発防止対策が立てられます。設備改良、技術的対策だけでなく、多くの場合、作業手順が見直されて新しいマニュアルが作られます。何かトラブルが起きる度にマニュアルが厚くなり、手間が増えます。管理者はマニュアルどおりに作業するよう口を酸っぱくして言い続けます。「マニュアルに従ってさえいれば事故は起きない」と断言する人もいます。しかし、本当にそうでしょうか。

マニュアルに載るのは想定できる事象だけです。過去に起きた失敗や、起こることが容易に思い浮かぶ外乱や変動が想定され、その場合にはどうすればよいかが書かれています。しかし、未来に起きるかも知れないことをすべて想定することはできません。あらかじめ定めたマニュアルでは対処できない事象が起こり得るのです。そして、ＶＵＣＡの時代には想定外のことが必ず起きると思わなければなりません。

電車内で乗客が刃物を振り回すとか、放火するとか、満員の乗客を乗せたまま電車が駅間で立ち往生するとか、工場だったら交通渋滞で部品が届かないとか、届いた部品が型番違いで使えないとか、落雷で停電するとか、病院だったら医療情報システムがダウンするとか、感染症患者が急増するとか、入院患者同士がけんかを始めるとか、1つひとつの事象にはあらかじめマニュアルを決めて、それを教え、そのとおりにできるよう訓練しておくことも可能です。しかし、複数の事象が同時に、あるいは次々と発生したら、マニュアルの優先順位や取捨選択を判断しなければなりません。その判断を現場第一線がやらずに上にお伺いを立てて指示を仰いでいては、事態の進展に間に合わなくなってしまう可能性があります。

安全教育ではよく「ホウレンソウ」を欠かさないようにと指導します。報告、連絡、相談を略して「報連相」です。しかし、その現場にいない上部組織や指令室からの指示は的確でないことがあるし、急展開する状況では間に合わないこともあるのです。

2011年5月27日、JR北海道の石勝線《せきしょうせん》を走行中のディーゼル特急「スーパーおおぞら14号」が脱線し、トンネル内に停車、その後、損傷した燃料タンクから漏れ出した軽油に引火しました（図3-3）。乗務員はトンネル内列車火災のマニュアルに従って指令の指示を仰いだところ、指令はドアを開けないよう指示しました。運転士は指令の指示に従ってエンジンを再始動することを試み、車掌は旅客誘導の準備をしたりしていました。そうこうするうちに車内にはどんどん煙が充満してきたため、危険を感じた乗客が勝手にドア

図3-3　トンネルから引き出されたスーパーおおぞら14号
（鉄道事故調査報告書（運輸安全委員会）より
https://www.mlit.go.jp/jtsb/railway/rep-acci/RA2013-4-1.pdf）

を開けてトンネルの出口に向かって歩いて避難しました。その後列車は６両全部が焼けてしまい、乗客２４８人中78人と車掌１人が煙を吸うなどして負傷しましたが、もう少し避難が遅れたら大惨事になるところでした。

ＪＲ北海道は事故の後、脱線の要因となった車輪管理の取組みを強化したり、避難誘導設備を整備したりしたほか、「最悪の場合を想定し自ら判断し行動する」訓練を実施することにしたそうです。

第１章で京王線車内傷害事件を取り上げました。走行中の電車内で起きている事態を乗務員が指令室に伝え、どうするかの指示を仰いでいるうちに事態は急速に進展し、ホームドアを開けるという指示を受けた時には、ホームドアを乗り越えている人がいるため実行できなくなっていました。

鉄道の事例が続いて恐縮ですが、2023年1月24日に関西で大雪が降り、ポイントが凍結するなどしたためJR京都線と琵琶湖線（ともに東海道本線の一部）で列車15本が立ち往生しました。ここでもやはり、乗務員たちは指令からの指示を待ちました。近畿指令総合所は臨時の輸送対策室も設置して応援の社員が駆けつけたものの、状況把握と現場からの救援要請への対応で手一杯。「デジタル無線で個別に通話可能なのは一定エリアあたり2個列車に限られるため、運転指示に関する通話が優先され、救援や避難を求める列車との通信ができなかった」との指摘もあります[1]。

結局、約7000人の乗客が最大10時間も車内に閉じ込められてしまいました。大雪の中、乗客を列車から降ろして駅まで歩かせるリスクを考えると、運行再開を優先させた指令所の判断を後知恵で批判することは控えたいと思います。ジャーナリストの枝久保達也は「どちらが正しいという話ではなく、状況に応じた使い分けが必要である。JR西日本に限らず列車無線の同時接続数には制限があり、大雪のみならず地震など多数の列車が同時に立ち往生した場合は、限られた指令員と限られた回線で優先順位を付けて対応するしかない。そうした場面では現場の判断を優先する仕組みとマインドの構築が求められる」

と書いています。[1]

一月後の2月20日の記者会見で、ＪＲ西日本の長谷川一明社長は、「最前線の声を的確に生かすことができなかったという痛切な反省を踏まえ、目の前のお客さまの状況に最善と考えることを即断する鉄道オペレーションに改善する」、「これまで失敗しないよう社員に求めてきたが、それが社員の積極的な行動を阻害することにもなった」、「現場の判断を大事にし、社員の実践力を力に変えることが必要と感じた」などと述べたそうです。[2]

セーフティⅡ

レジリエンスエンジニアリングの創設者の一人であるエリック・ホルナゲルは２０１０年代にセーフティⅡ《ツー》という考えを発表しました。[3][4]

先に「安全マネジメントの問題点」で述べたとおり、事故やエラーを減らすことだけを目標にする安全マネジメントは悪しきマニュアル主義を生み、しなやかな現場力を損ないます。

ホルナゲルは、これまで「安全」を「望ましからざる事象がない、または少ないこと」と捉えていたのを改めて、「ものごとがうまくいく可能性が高いこと」と定義しようと提案したのです。これは、レジリエンスエンジニアリングが「システムの機能を高い水準に保つこと」を目標にしていることの延長線上にあります。セーフティⅡを実現するための方法論がレジリエンスエンジニアリングだと書いている人もいますが、私は、セーフティⅡの理論的基盤がレジリエンスエンジニアリングだと考えています。

ホルナゲルはセーフティⅡに対して、これまでの安全観をセーフティⅠと呼びました。この2つの「安全」を対比させたのが表3-1です。

まず「安全の定義」は、セーフティⅠが「うまくいかないことが可能な限り少ないこと」、セーフティⅡは「うまくいくことが可能な限り多いこと」とされています。ホルナゲルは事故とか成功という言葉の代わりに「(ものごとが) うまくいかないこと」「(ものごとが) うまくいくこと」という表現を使っています。事故防止だけではなく、品質管理、オペレーション、経営などの広い文脈で使えることを意識したのでしょう。安全問題の専門書は、よく「安全とはリスクが許容される水準よりも小さいこと」と定義されていますが、これも、セーフティⅠ的な考えですね。セーフティⅡは、安全をネガティブな事象の発生件数や可能性 (リスク) で捉えるのでなく、ポジティブな結果の可能性と考えるのです。

「安全マネジメントの原理」はセーフティⅠがうまくいかないことが起きてから対応す

表3-1　セーフティⅠとセーフティⅡの比較（注）

	セーフティⅠ	セーフティⅡ
安全の定義	うまくいかないことが可能な限り少ないこと。	うまくいくことが可能な限り多いこと。
安全マネジメントの原理	リアクティブで、何かが起きたり、許容できないリスクが生じたら対処する。	プロアクティブで、事態の進展や事象の発生を予見しようと努力している。
事故の説明	事故は失敗と機能不全により発生する。調査の目的は、事故原因と事故発生に寄与した要因を特定すること。	ものごとは結果のよしあしにかかわらず基本的には同じように発生する。調査の目的は、時々ものごとがうまくいかないことを説明する基礎として、通常どのようにうまくいっているかを理解すること。
ヒューマンファクターに対する態度	人間は基本的にやっかいで危険な要素とみなす。	人間はシステムの柔軟性とレジリエンスの必要要素であるとみなす。
パフォーマンス変動の役割	有害であり、できる限り防ぐべきである。	必然的であるが、有用でもある。監視と管理が必要である。

（注）Hollnagel, E.(2014) Safety I and Safety II (Ashgate) P.147, Table8.1 を筆者が和訳

るのに対し、セーフティⅡはうまくいかないことを予見して、そのようなことが起きる前に対応するとなっています。しかし、これまでの安全マネジメントでも予防安全の重要性は強調されてきたし、危険予知（ＫＹ）活動やリスクアセスメント（ＲＡ）でリスクを予見しようとしていますから、この軸での対比は重要でありません。ただ、従来の安全管理思想は「失敗から学び、再発を防ぐ」ことを強調してきたので、後追い型の活動に偏重している点は確かだと思います。

「事故の説明」について、セーフティⅠでは事故の原因を探し、それを取り除くことで事故が減る、すなわち安全になる、と考えます。近年では、原因を単純に1つの故障や1つのエラーに帰するのではなく、直接要因、間接要因、背景要因を詳しく調べてそれぞれに対策を打つことが（まっとうな組織では）行われています。このアプローチは今でも重要性を失っていないと思います。一方、セーフティⅡでは、失敗も成功も同じプロセスの中から生まれるものだから、事故を理解するには、通常どのようにうまくいっているかを理解することが必要だと考えます。

この考えの基には、事故は何らかの原因があって起きるという「コーザリティ・クレド（因果の信念）」に対するホルナゲルの批判があります。複雑な社会技術システムでは、結果につながる原因を特定できないことがあるというのです。その理由については「創発」とか「機能共鳴」という概念を理解する必要があるので、ここでの説明を省略します。拙著『失敗《エラー》ゼロからの脱却』(5)を読んでください。

いずれにしても、最近いろいろな組織で「失敗だけではなく成功にも目を向ける」活動が展開されているのは、この考えに基づいています。

「ヒューマンファクターに対する態度」と「パフォーマンス変動の役割」についての2つのセーフティの違いは、本書の第2章でしなやかな現場力の必要性について読んだ読者にはお分かりになるでしょう。ヒューマンエラーが事故の要因になるから、作業者の行動をマニュアルで型にはめることで失敗を避けようとするのがセーフティⅠで、システムの機能を維持するためには変動する環境に対応したレジリエントな判断・行動が必要だと考えるのがセーフティⅡです。

セーフティⅠとセーフティⅡの関係

セーフティⅡを安全マネジメントの目標にすることは、必ずしもセーフティⅠを捨てることを意味しません。成功を続けるためには失敗を防がなければならないのですから、セー

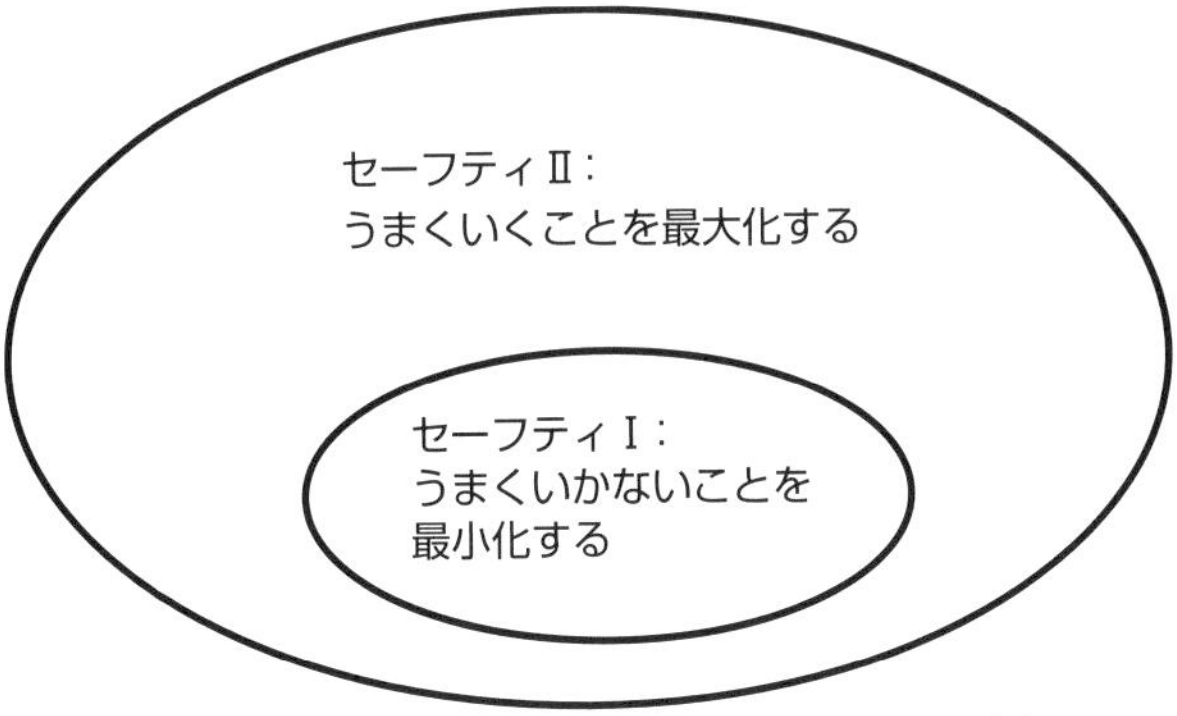

図３-４　セーフティⅠとセーフティⅡの関係

フティⅠとセーフティⅡの関係は図３-４のように表すことができるでしょう。

とくに、従来のリスクアセスメントやＫＹ（危険予知）活動のような予防安全の取組みは、セーフティⅡにとっても欠かせないものです。また、失敗が起きてしまった場合にきちんと原因究明をして再発予防対策を立てる必要もあります。ただし、起きてしまった失敗だけに注目して、同じ失敗を繰り返さない対策をとることは、他の失敗を誘発するリスクがあります。また、失敗を避けるために手順を増やしたり、複雑にすると、現場のしなやかさを奪ったり、忙しくなってエラーや違反の要因となる可能性があります。

１９９９年の１月に横浜の病院で心臓手術を受ける患者と、肺の手術を受ける患者が取り違えられて、それぞれが間違った手術を受けてしまうという事故が起こりました。これは多くの要因と不幸な偶然が重なった結果なのですが、発端となったのは患者が乗った2台のストレッチャーを1人の看護師が押して手術室交換ホールまで運んだ行為でした。交換ホールとは手術室があるフロアの玄関のような場所です。ここで、病棟看護師から手術室看護師へ、患者とカルテが引き継がれます。この時は、交換ホールで患者とカルテが入れ替わり、2人の患者は間違った手術室に運ばれてしまったのです。

この病院のマニュアルでは、患者を1人ずつ運ぶことになっていたのですが、守られていませんでした。事故報告書[6]には「午前9時から始まる手術の場合、現在の勤務態勢では、1人で運ぶことが常態となっている」と書かれています。なぜなら、9時から9件の手術が一斉に始まるため、交換ホールが混み合って患者の引き継ぎに時間がかかるし、朝の病棟は忙しいので、1人で行ってくれた方が他の看護師も病棟の患者も助かるからです。

この日に起きたような患者取り違え事故を防ぐには、確かに1人の看護師が1台のストレッチャーを押して手術室に運んだ方がよいでしょう。しかし、そうすることで、病棟のサービスが低下したり、事故リスクが増えたりしないでしょうか。

今では、多くの病院で入院患者の手首に個人を識別するバーコードの付いたリストバンドを巻いています。患者自身に姓名を名乗ってもらう取組みも普及してきました。同じ事故の再発を防ぐことだけを考えるのではなく、システムのパフォーマンス全体を高めるにはどうすればよいのか、という視点で対策を検討するのがセーフティⅡなのです。

注

（1）枝久保達也「ＪＲ西日本「大雪で７０００人立ち往生」なぜ起きた、背景に〝３つ〟の問題」ダイヤモンド・オンライン、２０２３年３月６日 https://diamond.jp/articles/-/318855（参照２０２３年12月27日）
（2）京都新聞「大雪で立ち往生、ＪＲ西日本社長が陳謝「備えや対応、全く不十分だった」」２０２３年２月20日 https://www.kyoto-np.co.jp/articles/-/976170（参照２０２３年12月27日）
（3）Hollnagel, E.（2013）A tale of two safeties, *Nuclear Safety and Simulation*, 4（1）, 1-9
（4）Hollnagel, E.（2014）*Safety-I and Safety-II: The Past and Future of Safety Management*. Farnham, UK: Ashgate. 北村正晴・小松原明哲（監訳）『Safety-I and Safety-II　安全マネジメントの過去と未来』海文堂出版、２０１５年
（5）芳賀繁『失敗《エラー》ゼロからの脱却　レジリエンスエンジニアリングのすすめ』ＫＡＤＯＫＡＷＡ、

２０２０年

（6）　横浜市立大学医学部附属病院の医療事故に関する事故調査委員会報告書、平成11年3月

https://www.yokohama-cu.ac.jp/kaikaku/bk2/bk21.html（参照２０１９年12月16日）

第4章　セーフティⅡを目指す安全マネジメント

現場の作業実態に目を向ける

セーフティⅡを目指す安全マネジメントは、事故やトラブルの数を減らすことではなく、ものごとがうまくいく可能性をできるだけ高くすることを目標とします。そのためには、まれに起きる失敗事例ではなく、日常の業務遂行の実態に注目し、成功事例を増やすことを考える必要があります。標準作業、手順をガチガチに決めて守らせるより、現場第一線が外乱・変動に対してレジリエントに対応することで、システムの機能を維持する、あるいは、低下した機能を回復させることを期待します。

実際、第2章で述べたとおり、現場は決められたことを決められたとおりにやっているだけでなく、さまざまな外乱や変動にしなやかに対応しています。限られた時間やコスト、顧客の希望など、現実的な要求に応える努力もしています。

仕事をする目的は失敗しないことではなく、よい製品を作ること、よいサービスを提供すること、よい医療を提供することのはずです。そこにこそ仕事意欲の基盤があります。現場はいい仕事をしたいのです。事故を起こさないことは仕事の目的ではないでしょう。

ところが、そのさなかに、まれに失敗が起きることがあります。よかれと思って行ったことが裏目に出たり、いつもうまくいっていたやり方が悪い結果につながったり。その結果だけをみて、「決められたとおりにやらなかったのが悪い」と決めつけ、処罰をしてはいけません。

レジリエンスエンジニアリングでは、決められたとおり、計画どおりの作業をWAI（Work as imagined《ワーク　アズ　イマジンド》）、実際に行われている作業をWAD（Work as done《ワーク　アズ　ダン》）と呼びます。現場は外乱や変動やその他の要求に対応するためにWAIに調整を加えているのです。事事故やトラブルが起きた後にWAIのとおりに行っていなかったことを責めるのではなく、ものごとがうまくいっている間にWAD、すなわち現場の作業実態をしっかり把握し、無理な調整が行われている場合は、WADを是正するか、WAI（作業手順やマニュアル）を変える必要があります。いくら現場のしなやかさだといっても、WAIとWADがあまり大きくずれていることは好ましくありません。

2005年3月15日の午後、東武伊勢崎線（現在のスカイツリーライン）竹ノ塚駅構内の踏切で、歩行者に急行電車が突っ込んで、2人が死亡、2人が重傷を負うという痛ましい事故が起こりました。列車が接近している時には遮断機を上げられない仕組みになっているのに、踏切保安係がそのシステムのロックを解除して、遮断機を上げてしまったのです。現在は立体交差になっていますが、当時、この踏切は上り下り合計5本もの線路をま

たいでいて、列車本数も多く、朝夕のラッシュ時にはいわゆる「開かずの踏切」になっていました。踏切保安係は長時間閉まり放しになることにいらだった通行人から罵声を浴びせられたり、詰め所のドアを蹴飛ばされたりすることもあったそうです[1]。そのため、緊急時に使うために設計されたロック解除ボタンを使って、わずかな列車間合いに遮断機を上げて通行人を通すという際どい行為が常態化していたようです。この踏切をいつも使っていたという地元の人は「あの踏切の職人芸にいつも助けられていた。『おじさん、開けてくれてありがとう！』と叫びたくなる瞬間が何度もあった」とブログに書いています[2]。しかし、このときの保安係は、急行電車がすぐ次

に通ることを忘れて、少し列車間合いがあると勘違いし、遮断機を上げてしまったのです。彼は業務上過失致死傷罪で有罪判決を受けました。

この踏切が自動化されていたら事故が防げたでしょうか。朝、何分・何十分も踏切が閉まり放しになっていたら、遮断機をくぐって渡る人が後を絶たないでしょう。鉄道会社に対する不満や反感も高まって、いろいろな事業活動の足を引っ張るかも知れません。

危険な違反行為をとがめるだけでは事故はなくなりません。まずはマネジメントがＷＡＤを把握することです。そして、なぜＷＡＤがＷＡＩとずれているのか、そこにどのようなメリットがあるのか、ＷＡＩのとおりに作業をするデメリットや障害は何かを、事故が起きる前にきちんと分析し、その中に重大なリスクが見つかれば、対策を講じる必要があります。

踏切を立体交差にするのは容易ではありません。事故が起きた踏切が完全に高架化されるまで17年かかりました。対策を進めている間も事故は待ってくれません。２００５年に福知山線脱線事故が起きた現場のカーブは、２カ月後に速度超過を検知するＡＴＳ（自動列車停止装置）が設置される予定でした。抜本的な対策が完了するまでにリスクを少しでも減らす努力が求められます。

しっかりと原因を分析することの重要性

第3章でセーフティⅡはセーフティⅠを捨てるのではなく、包摂するものだと書きました。セーフティⅠ的な安全マネジメントの中でとくに重要だと私が思っているのは根本原因分析（RCA：Root《ルート》 Cause《コーズ》 Analysis《アナリシス》）です。事故や品質不良が発生した後に、その原因を背景にまでさかのぼって究明し、それを取り除くことで再発を予防する手法はセーフティⅡの考え方と相いれないように思われますが、発生した事象と同じことが2度と起きないようにするだけでなく、根本原因を見つけることで、組織に内在する安全上の問題点を明らかにすることができるのです。その問題点を解決することによって、「成功を確かなものにする」というセーフティⅡが実現します。

例えば、ある作業員がスイッチを押し間違えたために同僚がけがをしたとしましょう。事故の原因を、スイッチを押し間違えたヒューマンエラーと考えれば、スイッチの見間違いをしにくくするよう色分けしたり、形を変えたりするなどの人間工学的対策、スイッチを押す前に指差呼称を義務付けるなどの作業手順の見直し、間違ったスイッチでは機械が起動しないようにするなどのシステム工学的対策が行われるでしょう。これらは、もちろん効果的で、行うべきことです。

しかし、もっと原因をさかのぼろうとすると、作業員の教育・訓練は十分に行われていたのか、見間違えやすいスイッチを並べるような設計を容認したのはなぜか、そのような装置を使っていた作業員や管理者から改良の提案がなかったのはなぜか、提案があったとしたらそれが取り上げられなかったのはなぜか、過去に間違えそうになったという「ヒヤリハット」事例はなかったのか、ヒヤリハット報告がさかんでないとしたらそれはなぜか、などなどさまざまな疑問が生まれます。このような疑問を解明していき、安全管理上、組織経営上の問題点を明らかにし、それを改善していくことがセーフティⅡにつながるのです。

労働災害や品質上のトラブルの原因を上流にさかのぼっていく手法として、多くの企業で「なぜなぜ分析」が使われています。「なぜを5回繰り返せ」などと指導されることもありますが、根本原因に向かってしっかりと分析しないと、いくつ「なぜ」を繰り返しても問題を深掘りすることはできません。例えば、「作業員が頭にけがをした」→なぜ?→「手に持っていた金属の部材で切ったから」→なぜ?→「壁にぶつかったから」→なぜ?→「台車につまずいたから」→なぜ?→「通路に台車が置いてあったから」→なぜ?→「整理整頓ができていなかったから」と、結果からさかのぼって5回「なぜ」を繰り返しても、労

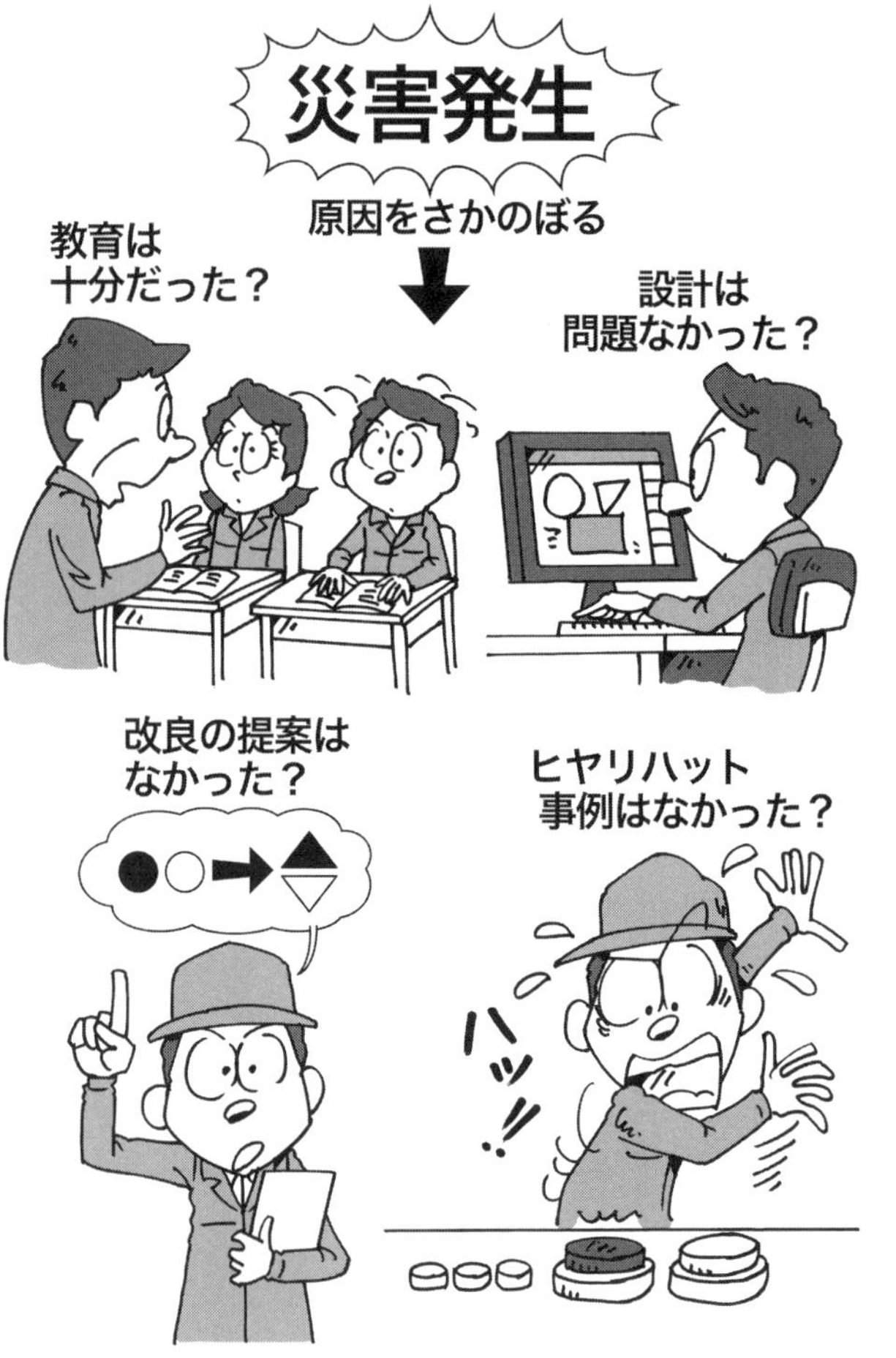
災害発生
原因をさかのぼる
教育は
十分だった？
設計は
問題なかった？
改良の提案は
なかった？
ヒヤリハット
事例はなかった？
ハッ!!

災の原因は「整理整頓の不徹底」で、対策は「整理整頓の徹底」にしかならないからです。

ＲＣＡでも「なぜなぜ分析」が使われますが、どのように根本原因を探っていくか、このあと具体例で説明します。

ＲＣＡの手順

いろいろなやり方がありますが、次の４つのステップで分析することをお勧めします。実際に起きた建設作業中の労働災害を参考にして私が創作した事例で説明しましょう。作業員が金属の部材を両手に持って歩いている時に、台車の上に置いてあった金属パイプにつまずいて頭を壁にぶつけ、けがをしたとします。

ステップ１：出来事流れ図の作成と分析課題の特定

まず、被災者の行動を中心に災害が起きるまでの出来事を時系列で記述します。関係者が複数の場合は、それぞれの行動と関係が分かるように図示してください。必要があれば日時を入れること。ここでは事実だけ、行動だけを記述し、原因をほのめかすような表現を避けてください。例えば、「足元に十分注意せずに歩いていたためパイプにつまずいた」ではなく、「パイプにつまずいた」のように。

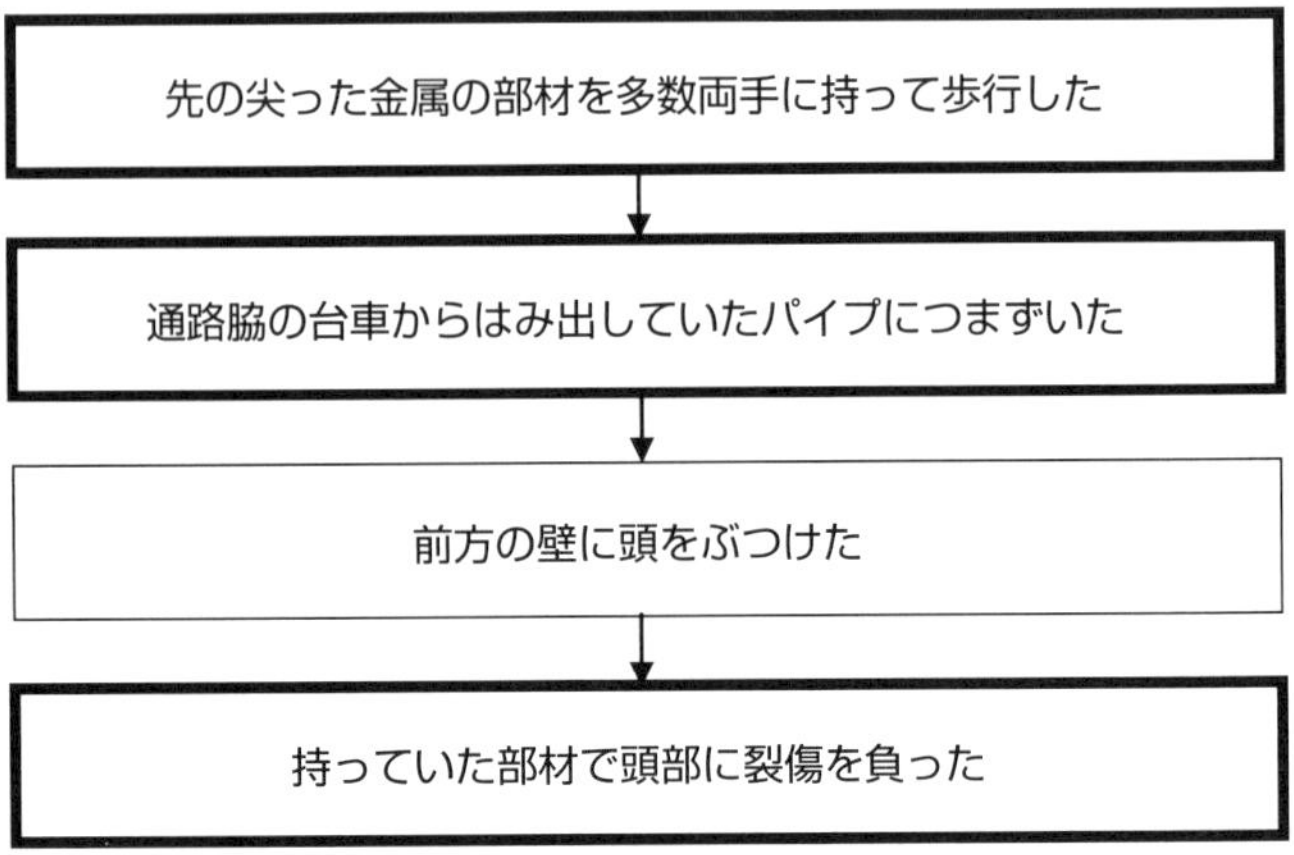
先の尖った金属の部材を多数両手に持って歩行した
通路脇の台車からはみ出していたパイプにつまずいた
前方の壁に頭をぶつけた
持っていた部材で頭部に裂傷を負った

図4－1　出来事流れ図の例（太枠は深掘りすべき問題点・課題）

次に出来事の中から深掘りすべき問題点、解決すべき課題を抽出してください。図4－1が出来事流れ図の例、太枠で囲んだ出来事が次のステップで分析する課題です。

ところで、RCAに類似した分析手法にVTA（Variation《ヴァリエーション》 Tree《ツリー》 Analysis《アナリシス》）があります。VTAでは、事象の連鎖の中で、通常の作業状態から外れた変動（逸脱）を同定し、その要因を排除すること、変動が事故に至る事象の流れを断ち切ることを目指します。出来事の整理の仕方が少し複雑なので、本章ではRCAだけを取り上げますが、関係者が複数いて、事態が時系列的に進展していったようなケースではVTAが威力を発揮します。

なお、VTAで特定した変動の要因を深掘りして対策を立てるにはRCAの次のステップで用いる「なぜなぜ分析」が有効です。実際、いくつかの企業ではVTAとなぜなぜ分析を組み合わせた事故分析手法を導入しています。

ステップ2：なぜなぜ分析

RCAのステップ2では、ステップ1で抽出した課題・問題点ごとに、なぜそれが起きたのか、なぜそれが生じたのかの問いを重ねて、対策すべき根本原因を見いだします。「なぜ」の答えを矢印の先に書き、その答えに対して「なぜ？」と問うて、その要因を矢印の先に書きます。ここでは図4-1の出来事流れ図の2番目の問題点、「なぜ通路脇の台車からはみ出していたパイプにつまずいたのか」を分析してみましょう（図4-2）。

現場の人たちにしっかりヒアリングをしてできるだけ多くの要因を見つけ、それを因果関係でつないでください。事実かどうか確定できない場合は、あり得ると思われる推測を残しておきます。例えば図4-2の事例ではパイプがはみ出していることに監督者が気づいていたのか気づいていなかったのか特定できなかったので両方の可能性を記載しました。

このステップには時間をかけて、課題・問題点の背景要因を網羅的に書き出すことが肝要です。その際、次の事柄に留意してください。

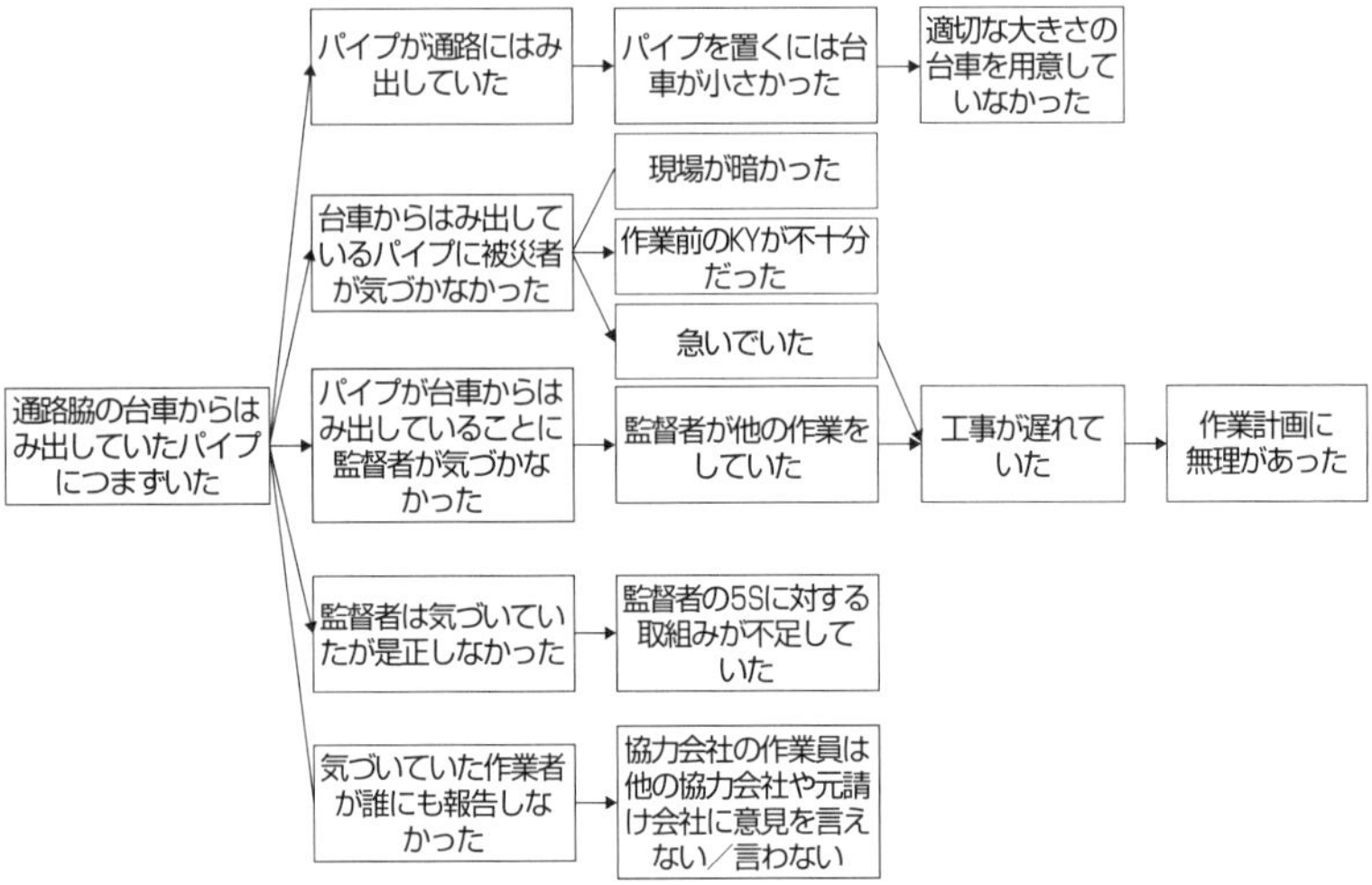

図4-2　なぜなぜ分析の例

①　矢印の先（右側）が原因で矢印の始点（左側）が結果であることが論理的につながっていることを確認する。つまり「なぜ↓」と「↑だから」が同時に成立すること

②　個人的な問題には踏み込まない。心理的な要因（人の意識）もできるだけ避ける

③　人の行動や判断で終わらせず、そのような行動や判断をしたのはなぜなのか、教育、管理、情報などの問題まで掘り下げる

④　再発防止につながる要因まで「なぜ」を繰り返す

対策は最後の「なぜ」の答え、すなわち根本原因の裏返しです。上の例で「監督者が他の作業をしていた」で止めてしまうと「監督者は作業監視に専念する」という対策になりがちですが、現実には守るのが難しいのでしょう。「監督者が他の作業をしていたのはなぜ？」と考えると、「作業が遅れていたから」。それはなぜ？「そもそも作業計画に無理があった」という根本原因に至ります。

じつは、根本原因をどこまでさかのぼればいいかは難しい問題です。図4-2では省略しましたが、「作業計画に無理があった」のはなぜでしょう。「計画立案者が経験の浅い社員だった」↓「工事計画をベテランがチェックする仕組みがなかった」、さらに「工事進捗管理が甘かった」↓「工事の進捗状況を管理し、工事計画に必要な修正を行う仕組みが

なかった」という根本原因までさかのぼれば、「経験の浅い社員が作った工事計画をベテラン社員がチェックする仕組みを作る」と「工事の進捗状況を管理して、工事計画に必要な修正を行う仕組みを作る」という対策が得られます。

現場レベルの分析と、本社・支社、あるいは安全推進部のような安全マネジメントの専門部門などの上位レベルが行う分析とでは根本原因の終点が異なっていてもよいと思います。上位レベルでは、経営、人材確保、人員配置、教育・研修に踏み込んだ分析をして「ものごとがうまくいく可能性」を高める対策、つまりセーフティⅡにつながる施策を提案してください。

ステップ3：対策の立案

なぜなぜ分析から導かれた根本原因を転記し、その下に対策を書きます。例えば、「パイプの置き場が決まっていなかった」に対しては、「パイプの置き場を決めて周知する」、「現場が暗かった」の対策は「照明装置を増設する」などです。しかし現場レベルではこれでいいですが、上位レベルではもっと深掘りして、作業環境の現状確認や管理、リスクアセスメントはどのように行われていたのかを調査して改善につなげることで、他の現場での事故予防につなげる必要があるでしょう。

表4-1　対策の例

根本原因
協力会社の作業員は他の協力会社や元請け会社に意見を言えない／言わない

対策案
1. 朝礼で同じ現場で働く作業員同士は会社が違っても同僚であり仲間であることを強調し、新規入場した作業員には自己紹介をさせる
2. 「安全の気づき」を報告することを奨励し、対策が必要な気づき報告をした人を表彰する
3. 安全の気づき報告やヒヤリハット報告をスマホで簡単にできるアプリを開発する
4. 元請け会社の社員は積極的に現場に出向き、作業者とのコミュニケーションに努める
5. 心理的安全性を高めるリーダーシップ研修を社員と職長に受講させる
6. 心理的安全性を高める研修を作業員全員に受講させる

このステップでは、実現可能性や実行権限にとらわれずにできるだけ幅広く対策案を挙げてください。例えば、「協力会社の作業員は他の協力会社や元請け会社に意見を言えない／言わない」という根本原因に対しては**表4-1**のような対策案が考えられます。

ステップ4：対策の評価と決定

最後に、それぞれの対策案について、コスト、効果、持続的実行可能性、副作用（他の事故リスクが増える、効率が著しく落ちる、など）を評価して、実施する対策を決定します。評価ツールとして私は**表4-2**の「対策評価表」を考案しました。

「効果」の欄は事故の再発や類似事故の予防効果が非常に高ければ3点、かなり期待で

表4－2　対策評価表の例

対策案		効果	費用	効率	持続性	採否
1	朝礼で同じ現場で働く作業員同士は会社が違っても同僚であり仲間であることを強調し、新規入場した作業員には自己紹介をさせる	2	3	3	3	採
2	「安全の気づき」を報告することを奨励し、対策が必要な気づき報告をした人を表彰する	2	2	3	2	採
3	安全の気づき報告やヒヤリハット報告をスマホで簡単にできるアプリを開発する	2	1	2	2	否
4	元請け会社の社員は積極的に現場に出向き、作業者とのコミュニケーションに努める	3	3	2	3	採
5	心理的安全性を高めるリーダーシップ研修を社員と職長に受講させる	3	2	2	2	保留（備考）
6	心理的安全性を高める研修を作業員全員に受講させる	3	1	1	1	否

備考：心理的安全性を高める研修の方法について今年度内に検討を開始する

きるなら２点、ある程度期待できるという程度なら１点をつけます。「費用」は対策にかかる金銭的コストの見積もりで、少ないなら３点、多ければ１点です。「効率」とは作業効率への悪影響の評価です。どんなに効果が高い対策でも、作業手順が増えたり、時間がかかったりすると生産性や効率を阻害します。生産性を大きく阻害する対策は会社としても採用できないでしょうし、効率が悪くなる対策は作業員にも嫌われます。ですから、この欄には、効率への悪影響が少ないほど高得点を与えます。「持続性」の評価も同様で、面倒な手順、煩雑なルールは長続きしないので、長期的な実行可能性が高ければ３点、低ければ１点とします。

これらの評価を総合して、対策として採用するなら「採」、不採用とするなら「否」と結論しますが、今すぐには採用できないけれど検討を続けよう、会社の別の部門で考えてもらおうという場合は保留にして備考を書いてください。

実施する対策を決めたら、「決定したからには必ず実行する」という決意で、担当者、予算、実施スケジュールなどを決めましょう。

戸田建設札幌支店では、安全管理部のみなさんと私とが共同で、ＲＣＡと４Ｍ４Ｅを組み合わせた「ＲＣＡ-４Ｍ４Ｅ分析」を開発しました。４Ｍ４Ｅは事故の要因となった４

つのM（マン、マシン、メディア、マネジメント）を探し、対策を4つのE（技術、教育、環境、管理）で検討する、ヒューマンファクターズではおなじみの手法です。RCA‐4M4E分析では、出来事流れ図を作った後に4Mそれぞれの要因をリストアップすることで、なぜなぜ分析をする際に、幅広く、もれなく「なぜ」を考えるのに役立てます。そして、対策案を考える際には4Eを使って、多面的に対策を立案することができます。

さらに、労働災害が起きた場合に現場の人たちが自分たちで分析して対策を立案できるよう、このRCA‐4M4Eをマニュアル化し、実習とグループディスカッションを伴う講習会を開いて、分析手法の周知・教育、定着化を図っています。

事故の分析を管理部門の安全スタッフだけが行うのではなく、事故が起きた現場の人が参加することで、作業実態やさまざまな現実上の制約を踏まえた分析と、上からの押しつけでない、腹落ちした対策の立案が可能になりました。

ヒヤリハット報告

多くの企業・組織でヒヤリハット報告が推奨されていますが、報告が少ないと頭を悩ませている安全担当者がたくさんいます。本書の読者の大半には説明不要でしょうが、ヒヤリハットとは、作業中にヒヤッとしたりハッとした体験のことです。ヒヤリハットをなぜ集めるのか。それは、ヒヤリハットが「事故の芽」と考えられているからです。有名なハインリッヒの法則です。

ハインリッヒは労災保険のデータを見て、「同じ人間が起こした同じ種類の事故が３３０件あれば、そのうち３００件は無傷で、29件が軽い傷害を伴い、１件は重い傷害になる」という「法則」を発見しました。例えば、ある現場で３３０回作業員が転んだら、そのうち３００回はけがにならずに済むけれど、29回は軽傷となり、１回は重傷や死亡という重大災害になるというのです。さらに、無傷の事故の下には、数千もの不安全行動・不安全状態が存在するとも指摘しました[3]。

ハインリッヒの法則の要点は、１対29対３００というような件数の比ではなく、事故の重大性は確率的に、つまり「まぐれ」で決まるという点です。したがって、重大災害を防止しようとするなら、けがにならない事故や、無数の不安全行動・不安全状態を減らすことが効果的だと主張しました。けがにならない事故や、不安全状態・不安全行動の一端はヒヤリハットとして体験されます。

そこで、多くの事業所ではヒヤリハット報告を奨励し、重大事故の分母であるヒヤリハットの対策をしようと努力しているのです。それでも、ヒヤリハット報告がなかなか上がらないので安全担当者が頭を悩ませているという現実があります。

ヒヤリハット報告が集まりにくい要因の1つは、報告しても何もしてくれないから、何の役にも立たないと感じられるからです。タクシードライバーが「子どもが公園から飛び出してきたのでハッとした」と報告しても、タクシー会社は公園に柵を付ける権限がないので、「公園の横を走るときには子どもの飛び出しに注意」という、ドライバーなら誰でもやっているような掲示が張り出されるのが関の山です。

ヒヤリハットが集まらないもう1つの要因は、対策として作業手順が増える可能性があるからです。それはヒヤリハットが事故にならないためには必要な対策かも知れませんが、現場の作業者は手順が増えるのを嫌がります。余計な手間をかけたくないし、作業効率も悪くなるからです。

セーフティⅡでは発想を転換して、ヒヤリハットは事故を防ぐことができた成功事例とみなします。

ヒヤリハットは成功事例

建設業労働災害防止協会（建災防）は２０２１年に、建設現場の新たな災害防止対策として、「レジリエンス能力を高め、災害ゼロを目指す」ことを目的とした〝建災防方式「新ヒヤリハット報告」〟の導入を提唱しました。

新ヒヤリハット報告は、ヒヤリハットが事故や災害に至らなかった理由、事故や災害を回避できた能力、その能力を育成するのに役立った日頃の活動、さらにはストレスなど職場環境がどのような影響を与えているか、などを明らかにすることを目的として開発されました[4]（**図4-3**）。図からも読み取れるように、「事故の芽」となり得るヒヤリハットを減らす従来のセーフティⅠ的活動と、ヒヤリハットを成功体験と捉えてその能力を高めるセーフティⅡ的取組みを融合させた考えをとっています。

「新ヒヤリハット報告」の中には、「ヒヤリハットが事故にならなかった理由」を、次の10項目それぞれに「全くなし」から「非常にある」までの４段階で答える欄があります。

①　知識や経験を活かすことができた
②　体力があった（運動神経がよかった）

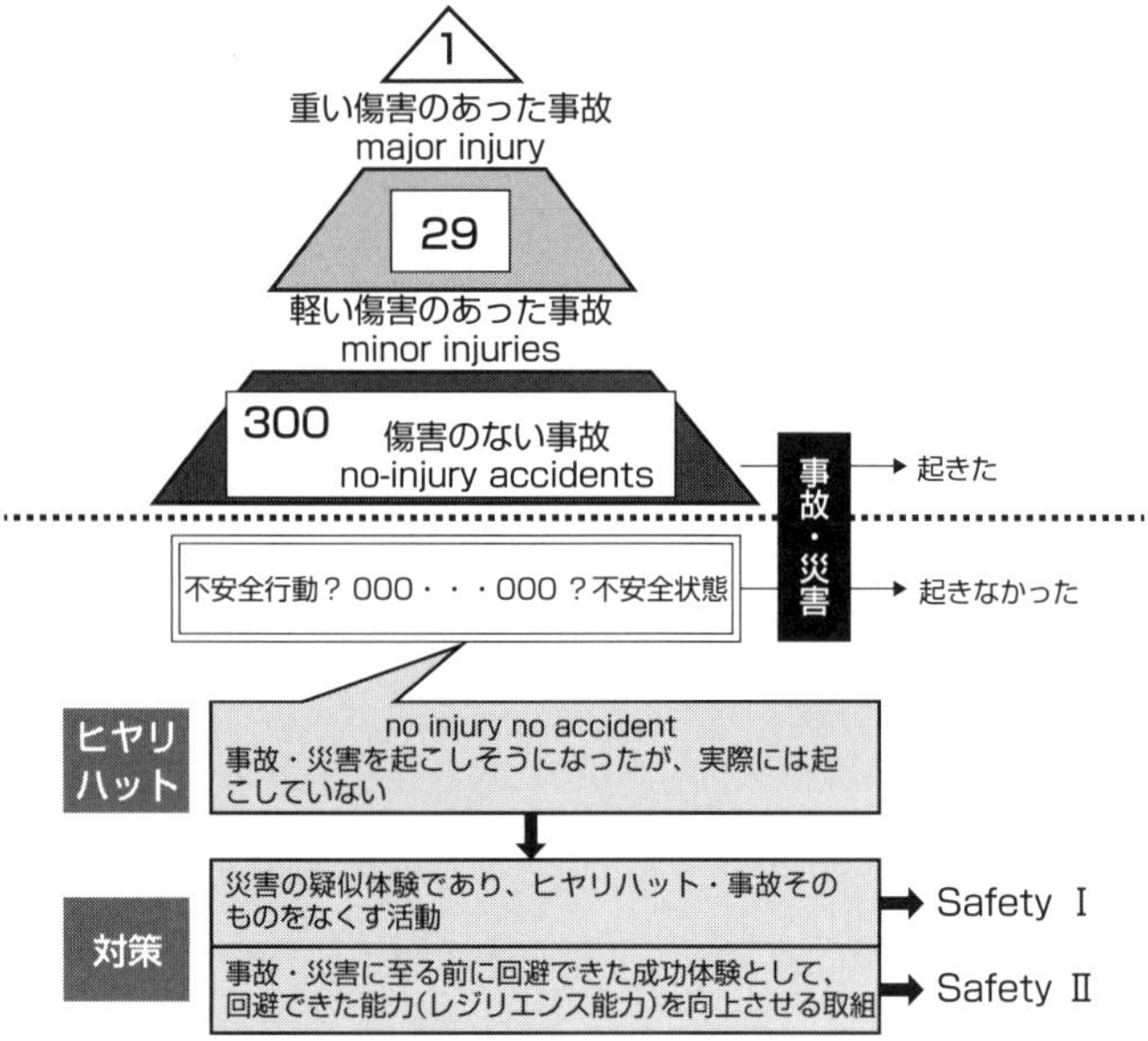

図 4－3　建災防方式「新ヒヤリハット報告」の考え方
（「建災防方式「新ヒヤリハット報告」のすすめ」（建設業労働災害防止協会）をもとに作成）

③　状況がいつもと違っていたため予測できた
④　何かが起こりそうな予感がした
⑤　周りに注意を払っていた
⑥　とっさの機転が利いた（知恵が働いた）
⑦　リーダーや仲間から声を掛けられた（とっさに注意された）
⑧　安全帯〔編注：墜落制止用器具〕などの保護具に助けられた
⑨　警告ブザーなどの機械設備に助けられた
⑩　偶然に助けられた

その次に、「あなたのヒヤリハットが事故・災害にならずに直前で回避できたのは、なぜですか」と問うて、具体的に事故に至らなかった理由を記述してもらいます。

さらに、**表4-3**の選択肢から1つだけ当てはまるものを選んでもらうことで、ヒヤリハットがヒヤリハットで済むために必要な要因を、多数の報告が集まれば分析できるようになっています。

報告フォーマットは建災防のホームページ(4)に全体が公開されていますので、興味のある

表4－3 「ヒヤリハット」が事故や災害にならず直前で回避するのに役立ったと思われる活動

（「建災防方式「新ヒヤリハット報告」のすすめ」（建設業労働災害防止協会）より）

1	過去のヒヤリハット体験
2	同僚や先輩の話
3	安全衛生教育での講話
4	現場での朝礼、夕礼
5	現地ミーティング
6	日々のKY活動
7	危険予知訓練
8	リスクアセスメント
9	災害事例の周知
10	現場パトロール
11	危険体感教育
12	危険箇所の見える化
13	安全標識の設置
14	4S（整理・整頓・清潔・清掃）
15	避難訓練
16	作業状況の監視
17	周囲の状況把握
18	人への目配り
19	機械設備の点検
20	作業手順書の周知
21	リーダーや仲間とのコミュニケーション
22	懇親会・レクリエーション
23	体操
24	安全表彰
25	バランスのよい食事
26	悩みを相談
27	よい睡眠
28	くつろげる休憩時間と場所

人は検索して他の項目もぜひご覧ください。

もう1つだけ、建災防のホームページから図を引用させてください（図4-4）。図の左端に描かれている「ワークエンゲイジメント」とは、オランダのヴィルマー・シャウフェリが提唱した概念で、簡単に言うと「仕事に関して肯定的で充実した感情および態度」のことです。ワーク・エンゲイジメントの高い人は、仕事に誇り（やりがい）を感じ、熱心に取り組み、仕事から活力を得ていきいきとしている状態にあるとされています[5]。私の研究室の調査では、仕事の誇りは安全行動と強い関係があることが検証されています[6]。

また、ワークエンゲイジメントは心身の健康と相関があります[5]。建災防の調査によると、建設作業に従事する人の中で、高ストレスや不眠を訴える人のヒヤリハットはそうでない人の1・2倍～2倍高いことが分かったそうです[4]。わが国におけるレジリエンスエンジニアリング研究の第一人者である早稲田大学の小松原明哲《あきのり》は、「よい結果をもたらすレジリエント行動」には、「よい知識、よいスキル、よい態度、よい心身の健康を持った人材と、よいリソース（信頼性が高く十分な数の資材・機材）が必要だ」と述べています[7]。

図4-4に戻ると、ワークエンゲイジメントが仕事内容の裁量、コントロール、職場の人間関係などを含む職場環境と相互に影響し合うと同時に、心身の健康に直接影響を及ぼ

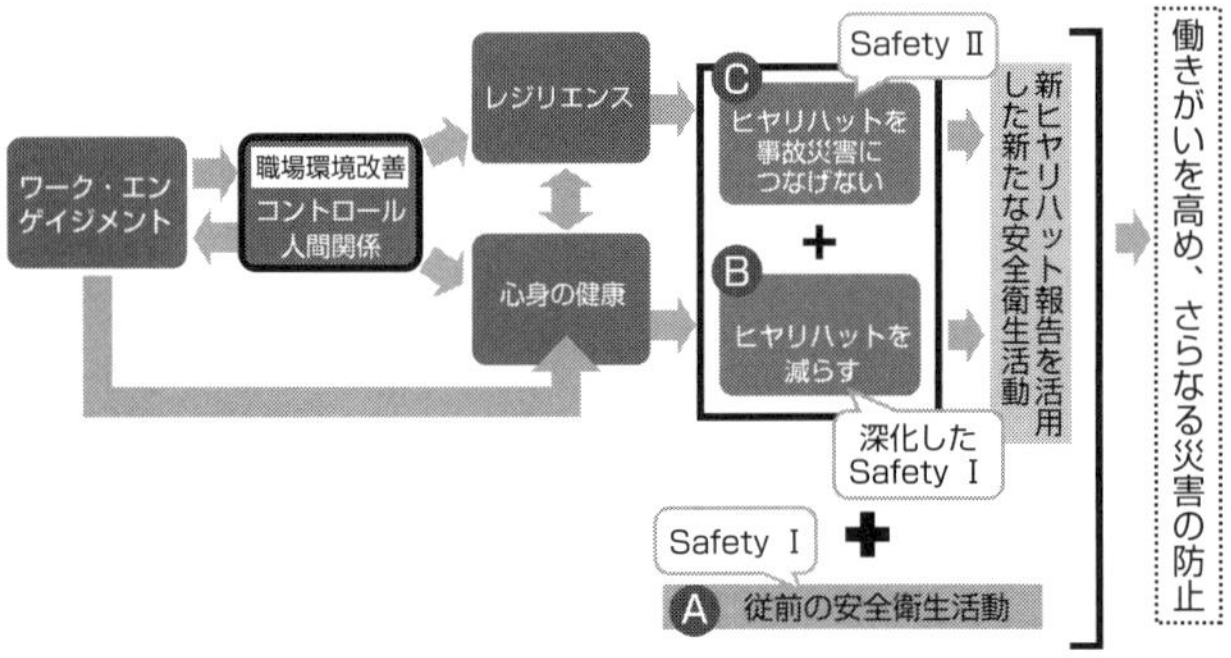

図4-4　建災防「新ヒヤリハット」概念図
（「建災防方式「新ヒヤリハット報告」のすすめ」（建設業労働災害防止協会）をもとに作成）

しています。「自分のペースで仕事ができる」、「自分で順番・やり方を決めることができる」、「職場の方針に自分の意見を反映できる」など、仕事のコントロール感が高ければレジリエントな対応がしやすいでしょう。また、職場の人間関係は心身の健康に影響することは言うまでもありませんが、心理的安全性とも関係があるので、良好な人間関係はレジリエンスを高めると思われます。

　建災防は、（A）従前の安全衛生活動（セーフティⅠ）と、（B）ヒヤリハットを減らす（深化したセーフティⅠ）、（C）ヒヤリハットを事故災害につなげない（セーフティⅡ）を統合することで、「セーフティⅠとセーフティⅡの両面から考える新たな安全衛生活動」を展開して、「働きがいを高め、さらなる災害の防止」を目指すことを提案しているのです。私としては（C）をセーフティⅡと呼ぶのはちょっと違和感を感じますが、ヒヤリハットを成功体験とみなす建災防方式「新ヒヤリハット報告」はセーフティⅡへ優れた実践として高く評価しています。

ヒヤリポ

建災防方式「新ヒヤリハット報告」は、建災防の会員企業である大成建設、東急建設、大和ハウス工業、日本国土開発など、多くの企業から活用例や分析結果が報告されています。[8] 中でも注目すべきは戸田建設が２０２１年に開発した「ヒヤリポ」です。ヒヤリポはヒヤリハット報告をスマホで集めるアプリで、ヒヤリ・リポートから命名されたとのこと。

従来のヒヤリハット報告は紙に記入したり、会社のデータベースに接続したコンピュータ端末に入力したりする必要があるため、報告のタイミングが遅れるし、管理者や安全担当者が内容を確認するのはさらにその後になってしまいます。ヒヤリポは、スマホ画面の項目をタップするだけでヒヤリハットが報告できるうえ、報告すればポイントをゲットできるという楽しみがあります。

実際どんな風に操作するのか、戸田建設が公表している資料を見てみましょう。[9][10] 図4-

5がアプリの最初の方の画面です。

作業員は1日の作業終了後に、スマホのヒヤリポアプリでヒヤリハットが「無かった」または「報告する」をタップし、報告する場合はヒヤリハットの種類（墜落・転落、転倒、はさまれ・巻き込まれ、など）を選びます。そうすると画面が切り替わって、「ヒヤリハットのエントリーありがとうございました」というメッセージが出て、5ポイントが付与されます。その下に、「続いて状況報告にご協力いただけますか？」というメッセージが表示され、「協力する」または「今はしない」を選択してタップ。つまり、面倒な書類作成を全くしなくても、3回タップするだけで最小限の報告が終わり、5ポイントを得られるのです。作業終了後でなくても、ヒヤリハットを経験した直後や、休憩時間でも報告可能です。

状況報告は後からでも入力でき、選択肢をタップしたり、「どのような場所で」「どのような作業で」というような質問にテキストを入力したりして、「今回もし災害になっていたらどの程度の災害レベルですか？」という質問に10段階のメモリの1つをタップすると画面が切り替わり、10ポイントが付与されます。次に進むと（進まなくてもよいのですが）、「発生原因として考えられるものをすべて選んでください」という質問とともに、「設備・

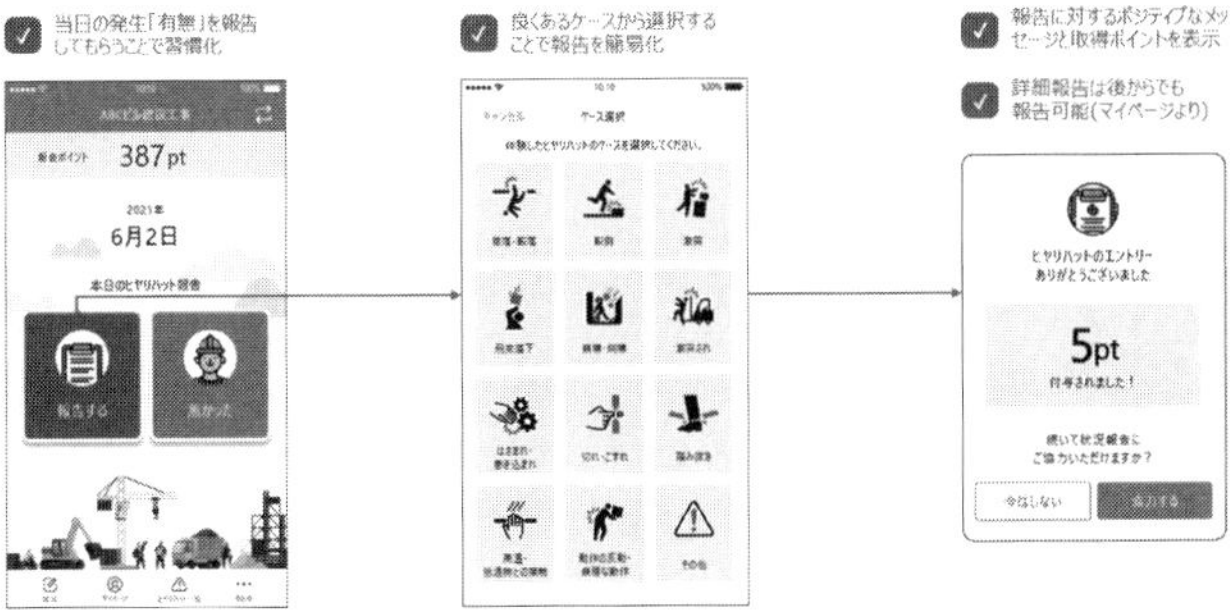

図4－5　「ヒヤリポ」アプリの画面例

機械に問題があった」、「現場の作業環境に問題があった」、「作業方法に問題があった」、「連絡・連携ミスがあった」、「考え事をしていた」などの選択肢が表示されるので、当てはまるものすべてをタップします。スマホのカメラを使って現場の写真をアップすることもできます。対策案まで書けば15ポイントゲットです。

さらに、建災防方式「新ヒヤリハット報告」にある、疲労やストレス、仕事のコントロール、現場のコミュニケーションなどに関する質問全部に答えたら、最大50ポイントを得ることになります。

入力内容は元請け会社の社員が即座に閲覧でき、コメントを返すこともできます。入力内容を集めて分析し、現場や会社の問題点を洗い出すことも可能です。

戸田建設は、ヒヤリポの主な特徴として次の6点を挙げています[11]。

① 作業員に親しみやすく、かつ操作性を意識したデザイン
② 報告を4ステップに分割することで任意のタイミング、必要に応じた詳細の報告が可能
③ 他の人の報告事例が閲覧可能
④ 報告に対する管理者への通知と管理者からのフィードバック(コミュニケーション)が可能
⑤ 報告に対するポイント付与機能により報告しやすい風土の醸成をサポート
⑥ 管理画面における現場報告のリアルタイムな集計・可視化など

ヒヤリハットのRCA

建災防方式「新ヒヤリハット報告」も戸田建設の「ヒヤリポ」も、ヒヤリハットを「ものごとがうまくいった」事例とみなしてポジティブに捉え、今まで以上に積極的に活用する点はよいのですが、多くの報告を集計するだけでなく、個別の事例をもう少し深掘りすればもっと活用できるのではないかと私は考えました。

新ヒヤリハット報告で上がってきたいくつかの事例を私なりに分析してみました。その

中の１つはある職長さんのヒヤリハット体験です。

工事現場で考え事をしながら歩いていたら車両走路（工事車両や資材の運搬車などが走るよう定められた仮設の道）にうっかり入ってしまい、走ってきた車両にクラクションを鳴らされて驚いた（車両にぶつからずに済んだ）

このようなヒヤリハット報告が上がると、多くの場合、翌日の朝礼で「車両走路を横切るときはいったん立ち止まって、左右を指差確認すること」という注意事項を伝達する程度で終わってしまいます。あるいは、職場の掲示板か社内システムで情報と注意事項がシェアされるのが関の山でしょう。

しかし、ヒヤリハットが事故にならなかった理由を書いてもらう「新ヒヤリハット報告」に基づいてＲＣＡ（根本原因分析）を行うと、違う側面が明らかになります。

まず出来事流れ図は簡単です。「車両走路に立ち入った」「車両と接触しそうになった」「歩行者も車両も停止したので事故にならなかった」というだけですね。このうち、作業者が車両走路に立ち入ったことを問題点と考えてなぜなぜ分析しますが、歩行者も車両も止まって事故にならなかった点は成功事例として原因分析します。その結果を図4-6に示します。

車両走路に立ち入った理由は「考え事をしながら歩いていたため車両走路に気づかなかった」と報告されていましたが、なぜなぜ分析では「考え事をしながら歩いたこと」と「車両走路が目立たなかった」の2点が根本原因と特定されました。しかし、考え事をやめさせるのは難しいです。考え事をしなくてもいいような対策も見つかりそうにありません。とくに職長ならば、現場を移動しながら作業の進み具合や次の作業の段取りやらを考えてしまうでしょう。管理者としては「考え事などせずに常に注意を怠らずに歩け」と言いたいところでしょうが、あまり守られそうにありません。もう1点の車両走路の目立ちにくさですが、柵を設けたり、地面に塗色したりする対策は可能かも知れませんが、工事の進捗と共に日々変化する現場では採用するのが困難です。

次にうまくいった方の原因を考えてみましょう。これは、「新ヒヤリハット報告」に書いてあったことですが、車両は規則どおり徐行していたそうです。また、歩行者（職長さん）はクラクションを鳴らされて立ち止まったとも報告しています。「なぜ？」を考えると、車両を操縦していた人が前方を注視していて、前方の走路に歩いて入ってくる作業者を発

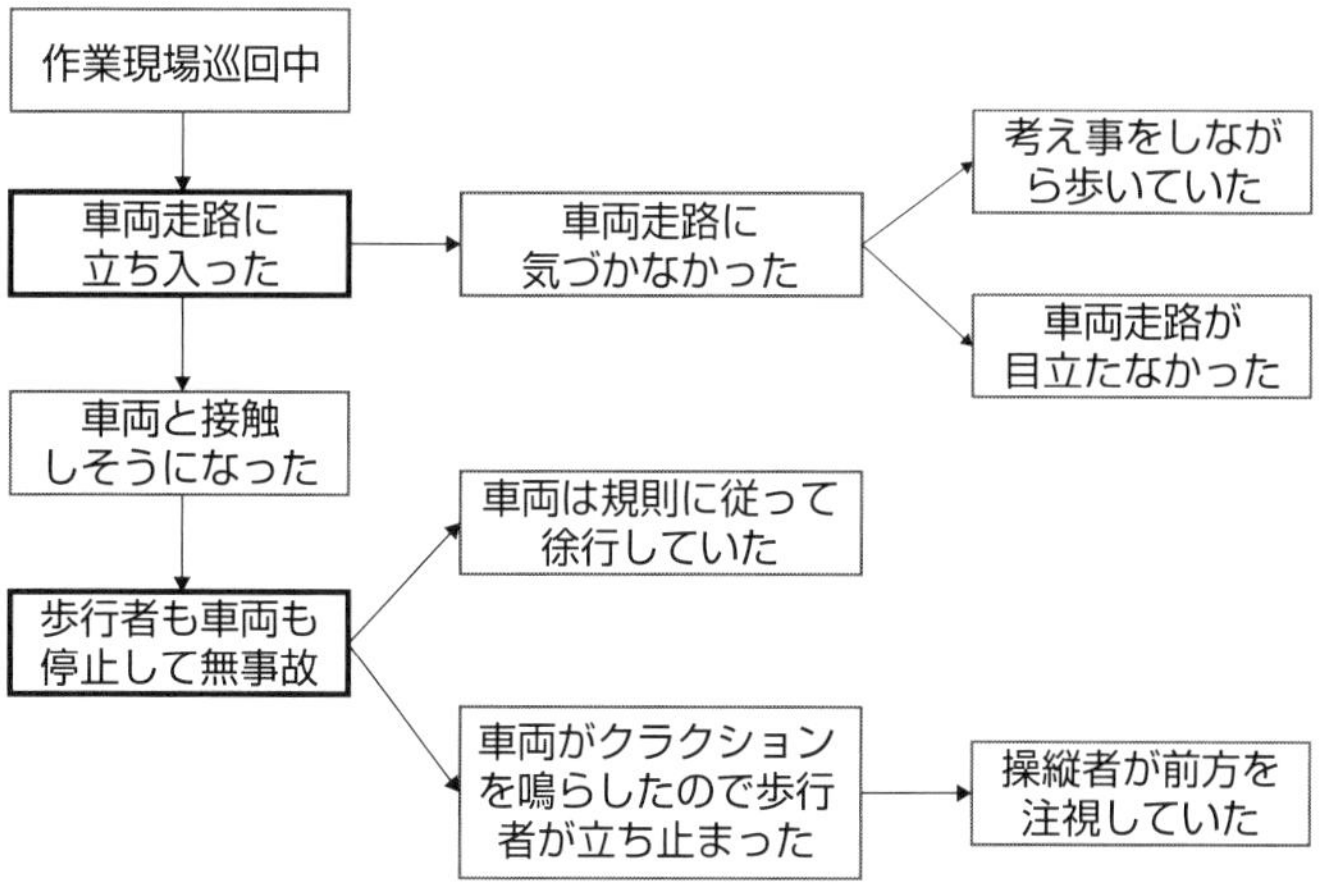

図４-６　ヒヤリハットのRCA分析例

見したからですね。つまり、この職長さんからのヒヤリハット報告から、車両操縦者のグッドジョブが浮かび上がりました。「規則どおり徐行する」のも「前方を注視して走行する」も当たり前のことかもしれませんが、当たり前のことをキチンと実行することが事故を防ぎ、ヒヤリハットが事故にならずに済むためのポイントなのです。

　管理者や安全担当者は、この日の車両操縦者をみなの前で褒め、あるいは表彰した上で、「工事現場で車両を運転するときには規則どおりちゃんと徐行し、前方に注意を払って走行することが仲間の命を守ることになる」ことを全員に周知徹底するとよいでしょう。

安全性と効率性の両立

うっかり車両走路に入ってヒヤッとしたことを事故の芽と考え、車両走路への進入を防ぐ対策を考えましょう。先ほど、走路に柵を付けたり塗色したりするのは、工事現場では難しいと書きました。もちろん、長期間にわたって固定された車両走路が存在し、その走路上をかなりの数の車両が行き来するならば、コストがかかっても歩車分離を図ることが有効です。そうでない場合、例えばカラーコーンにコーンバーを渡した移動可能な簡易な柵を車両走路に沿って並べるのはどうでしょう（図4-7）。かなり有効な対策と思われます。

しかし、作業員にとっては移動のじゃまになる障害物に感じられる可能性があります。近道をしたい人はバーをまたいだり、バーを外したり、誰かが外したバーを誰も元に戻さずに地面に横たわっていたりするであろうことは想像に難くありません。

結局、作業効率を阻害するような安全対策は、その必要性がみんなに理解され、納得され、守るべきこととして尊重されなければ守られないのです。

私は以前の著書[12]で、違反の要因を5つ挙げました。

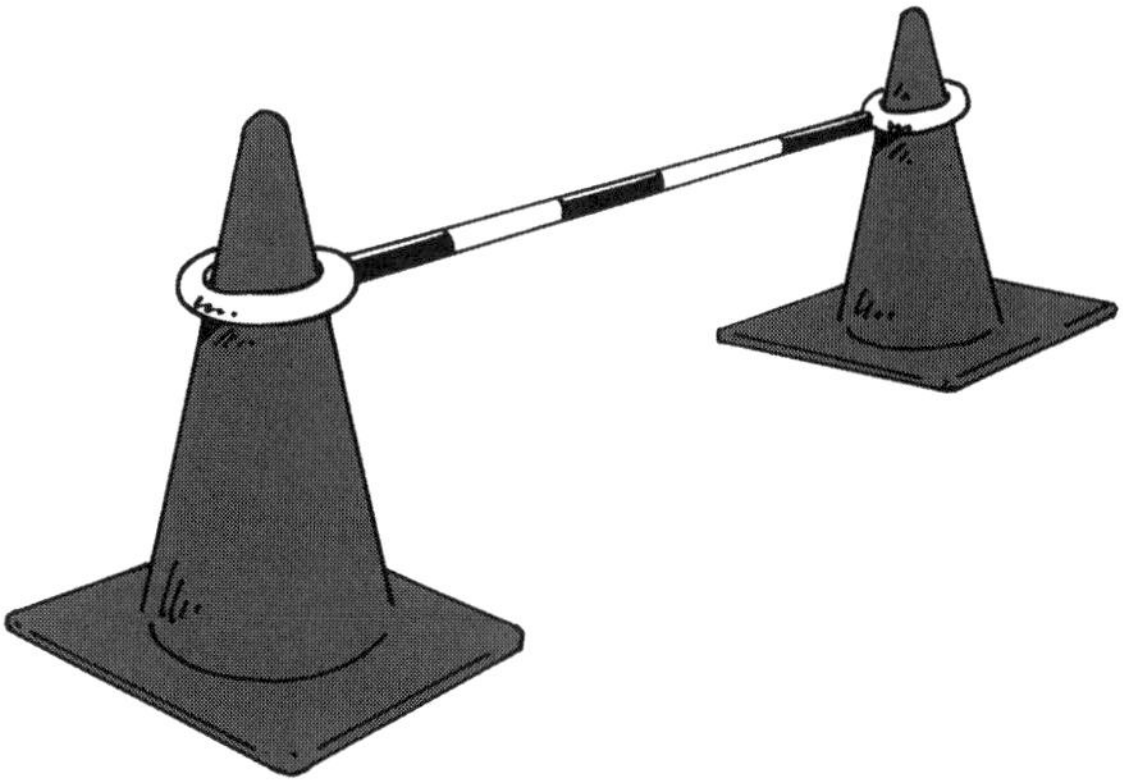

図４－７　カラーコーンとコーンバー

①　ルールを知らない
②　ルールを理解していない
③　ルールに納得していない
④　ルールを守らない人が多い
⑤　ルールを守らなくても注意を受けたり、罰せられたりしない

ルールを決めたら、そのルールを理解、納得させることと、そしてそれを守らせること、みなが守ることが必要なのです。

さらに、あえて危険をおかす「リスクテイキング行動」を誘発する要因として次の３つの場合だと書きました。

① リスクに気づかないか主観的に小さいとき
② リスクをおかしても得られる目標の価値が大きいとき
③ リスクを避けた場合のデメリットが大きいとき

安全マニュアルやルールはリスクを避けるために作られるので、安全ルールを守らなくても大したリスクはないと感じたり、効率・生産性やサービスのためにはルールを破るのもやむを得ないと思ったりすれば、ルール違反のハードルは下がります。安全担当者は、事故予防だけを考えて作業マニュアルを決めがちですが、作業者は、そのマニュアルで促進される安全性と、そのマニュアルが阻害する生産性を秤にかけるでしょう。

セーフティⅡでは、ものごとがうまくいくことを確かなものにすることを目指します。ですから、「生産より安全」ではなく、「生産も安全も」がモットーです。「絶対に事故が起きない方法」をガチガチに決めて現場をがんじがらめにすることの弊害は第2章で述べたとおりです。

安全対策は生産性や効率やサービスをできるだけ阻害しないこと、できれば安全と効率を両立させるようなものを考えてください。これはなかなか難しい課題ですが、1つの例

図４－８　TanaOS（タナオス）

として、日本航空のＴａｎａＯＳ（タナオス）を紹介したいと思います。

ＴａｎａＯＳ（タナオス）

航空機の離着陸の際の衝撃で客席の上の手荷物入れ（オーバーヘッドコンパートメント）が開いて荷物が落下するのを防ぐために、客室乗務員は離着陸の前に手荷物入れがキチンとロックされていることを確認しています。確認する方法は、棚をカチッと音がするまで手で押し込むのですが、すでに閉まっている棚は押しても音がしないわけですから、中途半端な閉まり方をしている状態と、キチンとロックされている状態を区別するためには、強く押すしかありません。客室乗務員が背伸びをして指先で棚を押しているのを見たことがあるでしょう。女性の客室乗務員にはとくに辛い作業です。やっと指先が届くようでは、強く押すことは難しいでしょう。ですから、事故防止のために、離陸前、着陸前にこれを何度も繰り返すことが指導されています。

日本航空での安全関係の会議の席で、私は「手ではなく棒で押したらどうか」と提案しました。「お客さまがどう思われるか…」と心配する意見もあったようですが、コミー株式会社と日本航空が、軽くて使い勝手がよく、荷棚を確実に押し込め、長さを短く畳める道具を共同開発して、２０１７年から使用を開始しました。これがＴａｎａＯＳです。(13)(14)

読者のみなさんがＪＡＬ便に乗ったとき、客室乗務員がこのような棒を使っているのを目にしたら、「これだ！」と思ってください。私も最近再び見かけて嬉しくなりましたよ。

注

（１）飯野謙次「失敗年鑑２００５　竹ノ塚駅踏切死傷事故」失敗学会、２００５年

（２）楽天ブログ「踏切のおじさんを信頼して、感謝していた私が思うこと」２００５年
https://plaza.rakuten.co.jp/kisaraneko/diary/200503180000/（参照２０２３年12月27日）

（３）Heinrich, H. W., Peterson, D., & Roos, N.（1980）*Industrial Accident Prevention: A Safety Management Approach*, (5th ed.), New York: McGraw-Hill. 総合安全工学研究所（訳）『産業災害防止論』海文堂出版、１９８２年

（４）「建災防方式「新ヒヤリハット報告」のすすめ」建設業労働災害防止協会、２０２２年 https://www.kensaibou.or.jp/safe_tech/leaflet/files/pamphlet_shin_hiyarihatto_2205.pdf（参照２０２３年12月27日）

（５）島津明人「ワーク・エンゲイジメントに注目した個人と組織の活性化」日本職業・災害医学会会誌、第63巻第４号、２０５～２０９頁、２０１５年

（６）大谷華・芳賀繁「安全行動における職業的自尊心の役割：計画行動理論を用いた職業的自尊心―安全行動意思モデルの開発」産業・組織心理学研究、第29巻第２号、87～１０１頁、２０１６年

（７）小松原明哲『安全人間工学の理論と技術』丸善出版、２０１６年

（８）「第59回全国建設業労働災害防止大会研究論文集」建設業労働災害防止協会、２０２２年

（９）戸田建設ホームページ「ヒヤリハット報告のデジタル化アプリケーション『ヒヤリポ』の開発」２０２１年11月２日 https://www.toda.co.jp/news/2021/20211102_002987.html（参照２０２３年12月27日）

（10）戸田建設株式会社「ヒヤリハット収集アプリケーション『ヒヤリポ』について」２０２３年

（11）戸田建設株式会社「ヒヤリハット報告のデジタル化アプリケーションヒヤリポ」２０２３年

（12）芳賀繁「仕事の能率と安全」山口裕幸・高橋潔・芳賀繁・竹村和久（著）『産業・組織心理学　改訂版』有斐閣、２０２０年

（13）ＪＡＬのＦａｃｅｂｏｏｋ２０１８年11月7日投稿記事
https://www.facebook.com/jal.japan/posts/2165678960131423/?locale=ja_JP（参照２０２３年12月27日）

（14）KomyMirror「手荷物入れミラーのコミー　航空機用手荷物入れチェック棒「ＴａｎａＯＳ（タナオス）」を日本航空と共同開発」２０１８年
https://www.komy.jp/wp/wp-content/uploads/2020/08/press_release1804.pdf（参照２０２３年12月27日）

第5章　しなやかな現場力を育てる

セーフティⅡを目指す安全研修

従来の安全教育、安全研修は、従業員に取扱いルール（マニュアル等）を教え、実技訓練を通してルールのとおりに行動できることを目標にして行われてきました。座学と実習による研修です。適用すべきルールがないような状況に遭遇した場合には、上司や管理部門、指令室などに連絡して指示を受けるよう指導されています。

しかし、VUCAの時代においては、起こりうるすべての事象を予測し、ルールを決めて備えておくことは困難です。過去に経験したことのない規模の自然災害や、思いも寄らない人間行動に遭遇することが増えているからです。その際に、現場第一線は教えられたルールに固執したり、指示を待ったりしていると、事態は急速に進展して状況がますます悪くなる可能性すらあります。

したがって、セーフティⅡを目指すには、現場第一線が自律的に判断して柔軟に対応する能力を養う研修を実施する必要があります。「いざというときは、自ら考え、最も安全と認められる行動をとる」などと安全行動規範に書かれているだけでは、実際「いざというとき」に直面した時にできるものではありません。日頃は「ルールに従え」「指示を受けろ」と言われ続けているのですから。

いざというときに自ら考え、最も安全と認められる行動を養うには、研修にグループディスカッションやゲーミングを取り入れることが有効です。その理由をこの後に説明します。その上で、実際に企業で行われている研修の例を紹介します。

　前書[1]では、「しなやかな現場力」を創る研修の例として、航空業界のＣＲＭ／ＴＥＭ、医療界のTeamSTEPPS《チームステップス》®、ＪＲ西日本のThink《シンク》 and《アンド》 Act《アクト》 Training《トレーニング》や、シナリオシミュレーション、クロスロードなどを紹介しました。本章では、私が鉄道会社で実施しているクロスロードの具体例、製造業の開発部門の社員を対象にオンラインで実施したシナリオシミュレーション、そして、シナリオシミュレーションを客室乗務員向けに発展させたＩＳＥＲＡ（アイセラ）を紹介します。

グループディスカッション

グループディスカッションは「集団の中で共有された問題解決や目標達成を目的とした、思考に支えられた相互的なコミュニケーション」と定義されます。[2] グループで行う活動は一般にグループワークと呼ばれます。産業現場では以前から小集団活動やＱＣサークルといったグループワークが行われてきました。グループディスカッションはグループワークの一種ですが、「みんなで何かを作る」とか、「一緒に活動する」というよりも、言語コミュニケーション、すなわち、言葉による意見交換を重視した呼び方です。

自分の頭で考え、それを他のグループメンバーに伝える、グループメンバーの考えを聞いて「なるほど」と思ったり、「そういう見方もあるのか」と感心したり、お互いに問題点を指摘し合ったりすることで、理解を深め、「いざというとき」の行動選択肢を広げることにつながります。

セーフティⅡにおけるグループディスカッションは、何かを決めるためのものではなく、「３人寄れば文殊の知恵」というような、みんなで考えてよりよい答えを見つけるための

ものでもありません。想定してなかった新しい事象が起きていたり、訓練を受けていなかった難しい状況に陥ったりした場合、その時点では何が正解か分からないのです。

例えば、列車が海岸線を走っているときに地震を検知して停車した後、津波警報が出されたとします。乗務員のマニュアルには、指令の指示を受けて、あらかじめ決められた高台の避難場所まで乗客を誘導すると書かれているでしょう。では、指令に連絡が取れない場合にどうすべきか。乗客に視覚障害者団体が混じっていたらどうする？　遠足の小学生が100人乗っていたら？　外が土砂降りだったら？　雪だったら？　真っ暗だったら？　高台に向かう階段が地震で崩れていたら？

ら？　予想される津波の高さは何メートルで、列車が停車した位置は標高何メートル？

あまりにもいろいろな状況のヴァリエーションがあり得るので、ヴァリエーションごとにどうすべきかのマニュアルを作ったら膨大な条文になってしまい、覚え切れません。研修では、自分が直面するかもしれない事態を、他人ごとではなく「自分ごと」と認識し、行動の「引き出し」を増やすことが大切なのです。そのために、グループディスカッションは役立つでしょう。

ゲーミング

ゲーミングとは、もともとは「ゲームをすること」という普通の英語ですが、「ゲーミング・シミュレーション」と同じ意味で使われることがあります。社会心理学者の藤原武弘はゲーミング・シミュレーションを、「現実を抽象化した仮想空間を舞台にして、複数の参加者が決められたルールに従い、コミュニケーションにより情報交換をしながら、意思決定や決断を行うことで一定の課題を解決するプロセス」と定義しています(3)。本書では、右に定義された「ゲーミング・シミュレーション」の意味で「ゲーミング」の語を使いますが、読者は単純にゲームを使った研修のことだと考えてくださって結構です。

次に紹介する「クロスロード」の開発者の一人である慶応義塾大学の吉川肇子《きっかわとしこ》は、ゲームを安全研修に使うメリットとして次の３点を挙げています。(4)

① 楽しい経験が参加意欲を高める
② 安全な環境で失敗できる
③ またやってみたくなる

安全研修や訓練は堅苦しい、ピリピリした雰囲気の中で行われることが多いのですが、ゲームを取り入れることで、楽しいから参加したい、座学のように眠くならない、もう一度参加してみたい、そして、何より、失敗しても事故が起きない、大丈夫、だから思い切って挑戦できるという点が重要です。失敗から学ぶことはいい勉強になりますから、安全研修のゲームでは、失敗することを奨励してもいいくらいです。

クロスロード

クロスロードは阪神・淡路大震災の後に行われたヒアリング調査をもとに、京都大学や慶応義塾大学の研究者らによって開発されたゲームです。[5][6] クロスロードとは「分かれ道、岐路」という意味で、ジレンマ状況において自分なりの判断をし、それをグループで共有してディスカッションを通して視野や行動選択肢を広げるのに役立つとされています。現在、地方自治体の防災担当職員や、地域住民の防災研修等に活用されています。

クロスロードを安全研修に利用することで、レジリエンス・ポテンシャルを高めるために必要な予測をする力、ハザード知覚をする力、ノンテクニカルスキルの要素である「状況設定」、「意思決定」、「コミュニケーション」をする力が身につくと考えられます。実際、いくつかの病院に勤務する看護師が参加したクロスロード研修では、「自分の職場では聞けない話が聞けて勉強になった」、「いろいろな意見があると気づかされた」など他者からの気づき、「他病院の人たちとコミュニケーションをとることができてよかった」、「意見を出し合うことは大切と思った」などコミュニケーションを促進する効果、「YESの意見、NOの意見を聞いて考え方の視野が広がると思った」などゲームを通した気づき、「臨床で活かせる実践的訓練ができた」などクロスロードの利用可能性など、研修を終えた受講者からさまざまな肯定的感想が聞かれました。[7]

本稿では、2024年1月に関東地方の大手私鉄T社の「能力向上ワークショップ」で実施したクロスロードのやり方を紹介します。なお、クロスロードを研修等に利用する場合は、「チームクロスロード」（慶応義塾大学商学部吉川研究室内）との間で覚書を取り交わす必要があります。

・参加者とチーム分け、時間割

現場の管理職を中心とした25人が1回の研修に参加し、5人ひと組のグループを5つ作ります。グループは、駅、乗務（運転士と車掌）、車両、電気、軌道など、さまざまな職種のメンバーが混ざるように編成しました。

研修は2時間で、おおむね次のようなスケジュールで進行します。

①　ブリーフィング　10分
②　問題の作成　30分
③　クロスロード　40分
④　発表会　20分
⑤　デブリーフィング　10分

⑥　振り返りとアンケート記入　10分

・ブリーフィング

最初に、研修の狙いとクロスロードの進め方を説明します。説明の要旨はおおむね次のような内容です。

これまでの安全研修は、従業員に取扱いやルールを教え、実技訓練を通してルールどおりに行動できることのみを目標にして行われてきました。

しかし、近年、過去に経験したことがない自然災害や、悪意を持った人間によって引き起こされる人の殺傷、業務の妨害、ＩＣＴ技術へのサイバー攻撃、また、これらが併発した複合的な要因で安全が脅かされる事態が発生するなど、今まで想定してこなかった事態にも対応せざるを得ない状況が起きています。こうした事態が発生したときに、対応がルールに規定されていない場合や、運転指令や上司の指示を得ることができない場合があり、対応に苦慮することがあります。

そこで、今回の研修では、現場第一線が自律的に判断して柔軟に対応できる能力を養い、安全性をさらに高めることを目標にしています。

クロスロードというゲームでは、判断が難しいさまざまなジレンマ状況の問題が出されるので、それに対しまずは自分なりの判断をして答えを出し、その答えについてグループ内で意見交換します。職能や自分と考え方が異なる人たちとディスカッションをすることで「そういう考え方もあるのか」など、多くの価値観や視点に出会うことを狙いとしています。

このゲームの大切なポイントは「正解」がないという点です。正解を学ぶのではなく「こっちを立てればあっちが立たず」という考えや「いろんな考えの人がいる」ということ、そしてどんな状況下でも限られた時間の中で「自分なりの答えを出して前に進まなければならない」ということがこのゲームの本質となります。

・クロスロードの問題作成

オリジナルのクロスロードではあらかじめ用意した問題を使ってゲームをするのですが、私が安全研修でクロスロードを使う時は、参加者に問題を考えてもらいます。問題を考える際のグループディスカッションで、職種や担当業務の違う人や、世代の違う人とそれぞれのジレンマ経験を出し合い、アイディアを交換して問題作りをする過程が、レジリエンスを高めるよい機会になるからです。

2023年度の研修では、事前に参加者に研修の狙いと、クロスロードのやり方を説明する文書を配り、あらかじめ2つの問題を考えてきてもらいました。1つは「自分たちの仕事に沿った内容」(A)、もう1つは「これまで想定してこなかった事象についての内容」(B)です。参考として、次の問題例を示しました。

A　あなたは駅のスタッフです。

ホーム上で、痴漢の被害に遭ったという女性と加害者とみられる男性がトラブルになり対応を行っています。加害者らしき男性は目を離すと逃げてしまいそうです。警察はなかなか到着せず、他のスタッフは他の作業を行っており、頼むことができません。そこに別のお客様から具合の悪いお客様がいるとの申告がありました。

問題　具合の悪いお客様の救護に行く?

YES　行く　NO　行かない

B　あなたは乗務員（運転士または車掌）です。
乗務中の特急列車が大雪によるポイント不転換の影響により駅間で止まっています。すでに2時間経過しており、復旧見込みが経っていません。車内通報装置で体調不良のお客様がいるとの連絡を受けましたが、最寄りの駅までは徒歩30分くらいの距離ですが外はまだ吹雪いています。そんな時、中間車両のお客さまが数人、ドアを開けて線路に飛び降り始めました。慌てて指令の指示を仰ごうとしましたが、指令とは無線がつながりません。
問題　乗務員同士協力して避難はしごを使ってお客様を降車させる？
YES　降車させる　NO　降車させない

研修当日は、問題作りを始める前に、グループメンバーがそれぞれ自己紹介をして、進行係と書記をジャンケンで選びます。ジャンケンは意外と盛り上がり、これだけでアイスブレーク（硬い雰囲気を和らげるためのゲーム）になります。次に、事前に考えてきた問題を発表して、問題例と、自分たちが考えてきた問題をベースに、グループで話し合ってA、B1問ずつを決めてもらいます。グループには職種が異なるメンバーが混じっているので、とくにAタイプ（自分たちの仕事に沿った内容）の問題の発表では、自分の仕事では遭遇しないジレンマ状況を聞いて視野が広がります。

グループ内で合意された問題は、研修スタッフが確認して、必要と判断した場合には修正を求めます。最終決定した問題は、1問ずつ「問題カード」（**図5−1**、150頁）に清書し、研修スタッフは、Aの問題を4枚コピーして他のグループに配り、Bの問題は隣のグループに回します（グループ1→2、2→3、3→4、4→5、5→1）。

したがって、各グループは他のグループが考案したAの問題4問、Bの問題1問の、合計5問でクロスロードをプレイします。

・考案された問題の内容

参考までに、T社の研修で参加者が考案した問題の内容をいくつか紹介しましょう。


あなたは駅係員です。

改札窓口でPASMO（交通系ICカード）に5000円チャージしてほしいと申し出があり、現金1万円とPASMOをお預かりし、チャージしてPASMOを渡し、お客さまと相互確認しようとしていましたが、別のお客さまから「今行った電車の中にこれから会議で使う資料を忘れてしまったので、すぐ見つけてほしい」と大声で申し出があったため、釣り銭を渡すのを忘れてしまいました。そのお客さまはまだホームにいると思いますが、他の職員は休憩中で、事務室には誰もいません。

問題　忘れもの捜索を手配する前に釣り銭を返しに行く？

ＹＥＳ　行く　ＮＯ　行かない

あなたは工務作業員です。

夜間作業で保守用車を走行中に、線路上に男性が倒れていました。確認すると、男性は酔っていていて意識がありません。すぐに救急車を呼びましたが、現場は山の中で、車両が進入できません。

問題　男性を次の駅まで保守用車に乗せる？

ＹＥＳ　乗せる　ＮＯ　乗せない

あなたはワンマン運転担当の運転士です。

駅間を走行中に動物と衝撃してしまいました。現場を確認したところ、大きな熊がけがをして倒れています。生きているので車両点検ができません。運転再開には相当時間がかかる見込みです。車内のお客さまから、トイレに行きたいので降車させてほしいと申告がありました。

問題　お客さまを降ろしますか？

YES　降ろす　NO　降ろさない

あなたは乗務員（運転士または車掌）です。

走行中に、お客さまから非常通報器を通して、車内に不審な液体がこぼれ、咳き込んでいる人が多数いて、数人が倒れたとの連絡が来ました。すぐ先に駅があるため指令に報告し、最寄り駅まで進行しました。早くドアを開けて車内のお客さまを脱出させたいのですが、ドアを開けてしまうとホーム上のお客さまに被害が広がる恐れがあります。

問題　すぐにドアを開ける？

YES　開ける　NO　開けない

・ゲームのプレイ

進行係が問題を読み上げて、進行係を含むメンバー全員がYESかNOのカードを裏向きに出し終えたら、合図とともに一斉にカードを開きます。YES―NOが3対2または2対3の場合、多数派が勝ってポイント（ポーカーチップ1枚）を得ますが、少数派が1人だけの場合（すなわち4対1の場合）は少数派が2ポイント（ポーカーチップ2枚）をゲットします。全員が同じ答えだったら誰もチップをもらえません。このルールはなるべく多様な意見を出してほしいからです。ゲームですから、2ポイントを狙ってわざと自分の意見と異なる回答をしても構いません。オリジナルのクロスロードでは、多数派はミニチュアの座布団、1人だけの少数派は「金座布団」をゲットしますが、私が実施に関わるときは、いつもポーカーチップを使っています（図5-2）。

その後、各メンバーはYESまたはNOを出した理由を述べます。その際、「私も同じです」と言うことは禁止で、必ず自分の言葉で意見を表明するのがルールです。また、グループディスカッションの基本ですが、人の意見を否定せず、「そういう考えもあるね」と肯定的に受け止めるよう教示しています。全員が意見を述べたら、自由に意見交換してもらいます。似たような状況が職場で起こり得るか、条件が変わったら判断が変わるのか、

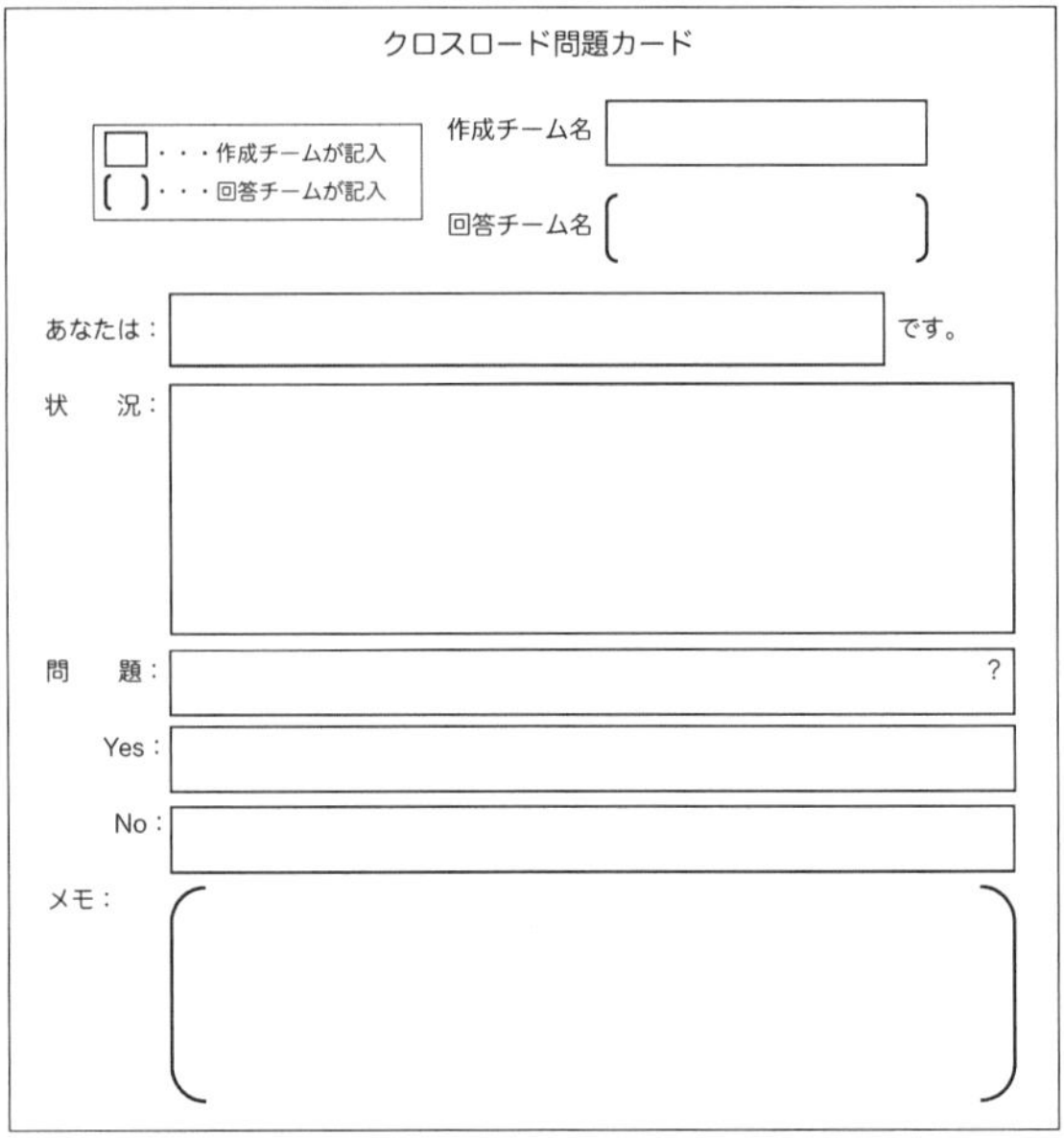
クロスロード問題カード

□・・・作成チームが記入
( )・・・回答チームが記入

作成チーム名

回答チーム名

あなたは：　　　　です。

状　　況：

問　　題：　　　　？

Yes：

No：

メモ：

図5-1　問題カードのフォーマット

図5-2　筆者がクロスロードで使っているポーカーチップとYES/NOカード

それはどんな条件の場合か、ＮＯにはどんな行動選択肢がありえるか、人の理由を聞いて自分の意見が変わったかどうか、などが議論のポイントです。

Ａの４問とＢの１問が終わったらゲーム終了です。その時点でポーカーチップを一番たくさん持っている人が優勝ということになります。全部のグループでゲームが済んだら各グループの優勝者に起立してもらい、全員が拍手で祝福し、発表会に移ります。

・振り返り発表会

ゲームが終わったらグループ内で一番議論が盛り上がった、賛否が分かれたなどの基準で選んだベストクエスチョンを１つ選定し、他のグループに向けて、その問題と議論した内容、出た意見を発表します。その問題を考案したグループは、出題の意図と発表内容の感想を全員に向けて話してもらいます。

・デブリーフィング

Ｔ社では私がセーフティⅡについて説明し、さまざまな外乱・変動に対して現場がレジリエントに対応して、システムの機能（安全・安定・快適な鉄道輸送）の維持に貢献する

「しなやかな現場力」を高めるのがこの研修の目的だったということをお話ししました。

T社ではアンケートに組み込んでしまいましたが、「今日の研修で気づいたこと、学んだこと」をそれぞれが3点ずつ箇条書きにしてもらい、それをグループの中で発表し合った上で、自分たちでまとめのディスカッションをしてもらうのも良案だと思います。

・アンケート

多くの研修会で行われているように、クロスロードを実施した際も、研修で何を学んだのかを書いてもらい、併せて感想や、評価、改善提案などを問うアンケートを実施します。評価に関して私がいつも質問するのは以下の3問です。各問に1（全くそう思わない）～5（非常にそう思う）の5段階で評価を求めます。

① このゲームは楽しかったですか？

② このゲームはコミュニケーションの促進に役立つと思いますか？

③ ジレンマ状況に陥った際にさまざまな視点から考える訓練に役立つと思いますか？

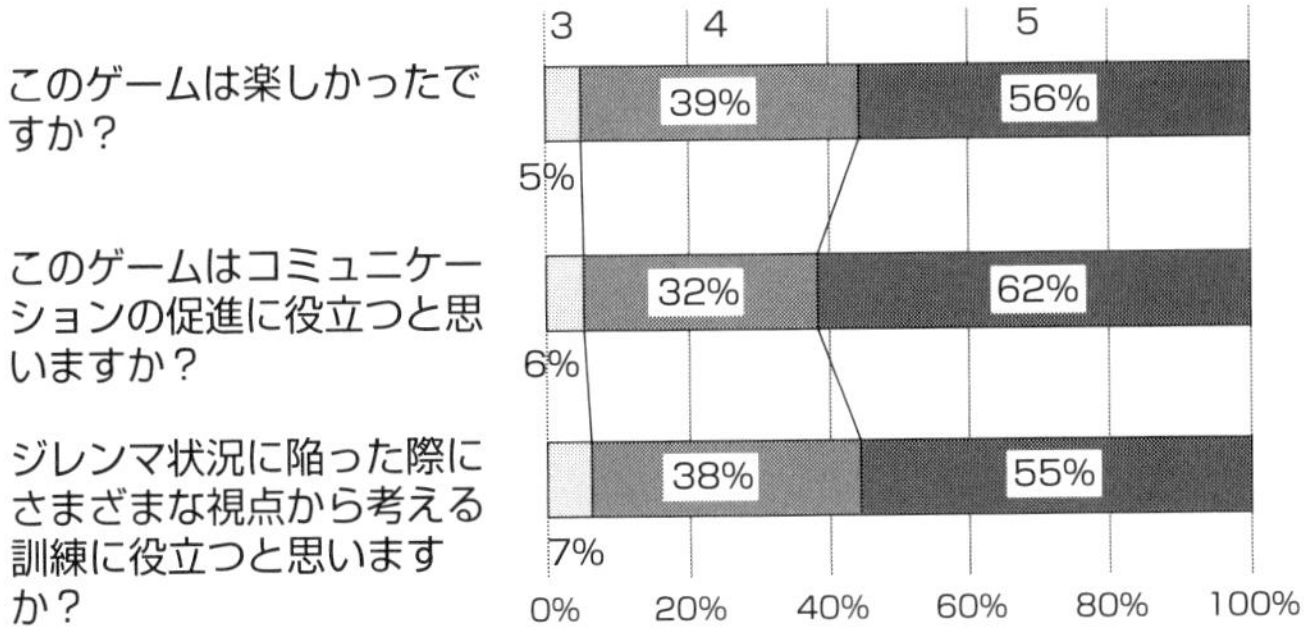

1（全くそう思わない）〜5（非常にそう思う）の５段階で評価を求めた。
どの問いに対しても１、２段階の評価はなかった。

図５-３　参加者によるクロスロードの評価（N=155）

Ｔ社の２０２２年度の研修参加者１５５人の回答は、**図5-3**のとおり、いずれの問に対しても１〜２の評価はなく、大半の参加者から４〜５の肯定的な評価が得られました[8]。

まだ改良の余地はありますが、Ｔ社に限らず、私が関わったすべてのクロスロード研修で、参加者から、クロスロードを用いた研修は楽しいだけでなく、コミュニケーションの促進に役立ち、ジレンマ状況の際にさまざまな視点から考える訓練になると高く評価されました。ゲーミングを取り入れることで安全研修が楽しくなること、コミュニケーションの促進などノンテクニカル・スキルの向上に役立つこと、ジレンマ状況に直面した時の行動の「引き出し」を増やすことにつながることは間違いないと思います。

シナリオシミュレーション

ここでは、私が製造業のS社で使った方法に基づいて、オンラインで実施する場合のシナリオシミュレーションを紹介します。

・オンラインでの実施方法

受講者は自宅または会社の自席からオンライン（TeamsやZoom）で研修に参加します。ただし、自席で声を出して議論しにくい環境や、パソコン、オンライン会議アプリの使用に慣れていない人は会社の会議室から参加します。会議室では研修スタッフが求めに応じてアプリの使い方等を指導するといいでしょう。

あらかじめ、参加者を5～6人ずつのグループに分けて、各グループに割り当てたチャンネル（Zoomではブレイクルーム）に入れるようにします。グループディスカッションの時間では、参加者は自分に割り当てられたチャンネルで同じグループのメンバーと話し合うのです。

研修参加者に対しては、研修の目的を次のように説明します。

①　危機対応に対して、いろいろな視点があることを知る
②　正解は1つではなく、多様な状況に臨機応変に対応することが求められること
③　シミュレーションを通じて、対応の曖昧なところを確認する
④　状況の進展が分からない時に、「どういう情報が必要になるのか」を事前に考えておく

・シナリオの作成

シナリオシミュレーションの成功の鍵を握るのはシナリオの善し悪しです。私はS社の安全担当者と何度も話し合い、シナリオ案を練り上げました。それから10人程度のメンバーに集まってもらって一度試行をして、問題点を修正しました。

対象者を数回に分けて研修するので、シナリオのストーリーが口コミで広まってしまうと面白くないので、シナリオを何種類か用意します。それが難しければ、研修に参加した人にかん口令を敷いてください。

S社で使ったシナリオの1つは次のようなものです。

① 退勤時刻の30分前にやや強い地震が起きる
② 退勤時刻の5分後に前より強い地震が起き、近くの物が倒れる
③ 2度目の地震の数分後に○棟○階（具体的な場所を記載）でガラス瓶が割れて有機溶剤が大量に床にこぼれているとの報告が入る
④ 約30分後に非常ベルが鳴って○（具体的な場所を記載）で火災が発生したとの報告が入る

このほか、大型台風の接近、積雪、熱中症患者の発生、新型コロナ感染者の発生などさまざまなイベントを組み合わせて6種類のシナリオを準備しました。

・研修の実施

1回の研修はおおむね次のような時間配分とします。「セッション」とは、ここでは研修の中で示される状況と課題のセットで、セッションが改まるごとに状況が進展、あるいは変化します。先に示したS社のシナリオ例では箇条書きの①～④がセッション1～4に対応します。

グラグラ!

①グループ内で自己紹介と書記係の決定、オンライン会議アプリ使用の練習（15分）
②シナリオシミュレーションの狙いと進め方の説明（5分）
③第1セッション（15分）
④第2セッション（15分）
⑤第3セッション（15分）
⑥解説1（10分）
⑦第4セッション（10分）
⑧解説2（10分）
⑨まとめと振り返り（15分）

セッションでは最初にファシリテータがスライド（パワーポイントの画面共有）で状況を提示し、その状況下で何をすべきか、研修参加者が所属する部門長の立場に立って考えるよう求めます。次に参加者はあらかじめ指定されたチャンネルに入って、何をすべきか、どのような情報を集めるべきか、誰に何を報告すべきかなどについて意見を出し合い、出た意見をグループの書記係がワード文書にメモします。決められた時間が来ると参加者は全体会議に戻って、グループで考えたことを、メモを共有しながら発表します。それに対し、ファシリテータは他のグループからのコメントや意見を求めます。

Ｓ社ではセッション２と３、または、３と４の間で、シナリオ上で想定されている緊急時（火災や地震）のマニュアルや対応ルールについて、安全担当者からの解説を入れました。これは受講者に最初に説明した研修の目的の「③　シミュレーションを通じて、対応の曖昧なところを確認する」に該当するメニューです。

このように、マニュアルやルールをしっかり理解した上で、緊急時には臨機応変な対応を求めるのです。最後にファシリテータは次のことを強調して研修を閉めてください。

①　想定できることがらはマニュアルを準備できるが、すべてを想定することはできない

②　想定外のことが起きた場合は、自分で最善と思われる判断をし、勇気を持って実行すること

③　その際、職場の同僚や上司の協力を躊躇《ちゅうちょ》なく求めること

学びの定着を図るため、最後に「振り返りシート」を配って、「私が気づいたこと」「学んだこと」を3つ箇条書きにしてもらいます。また、シナリオシミュレーションがどの程度楽しかったか、有意義だと思ったか、緊急時対応の理解が深まったか、などについてのアンケートも実施しましょう。

・オンラインシナリオシミュレーションの評価

S社の研修後のアンケート結果は図5-4のとおりです[9]。研修に参加した社員および派遣社員126人から回答を得ました。

問1の「シミュレーションは楽しかったですか」という質問には74・60%の回答者が「楽しかった」または「どちらかといえば楽しかった」と答えました。同様に問2の「シミュレーションは、有意義だったと思いますか?」には82・54%が「有意義だった」または「どちらかといえば有意義だった」と答え、問3の「緊急時対応への理解は深まりましたか?」には90・48%が「深まった」または「どちらかといえば深まった」と答えました。

問4で「立場の違う人は、それぞれに異なる意見を持っていると感じましたか?」と尋ねたところ、80・00パーセントが「感じた」または「どちらかといえば感じた」と答えま

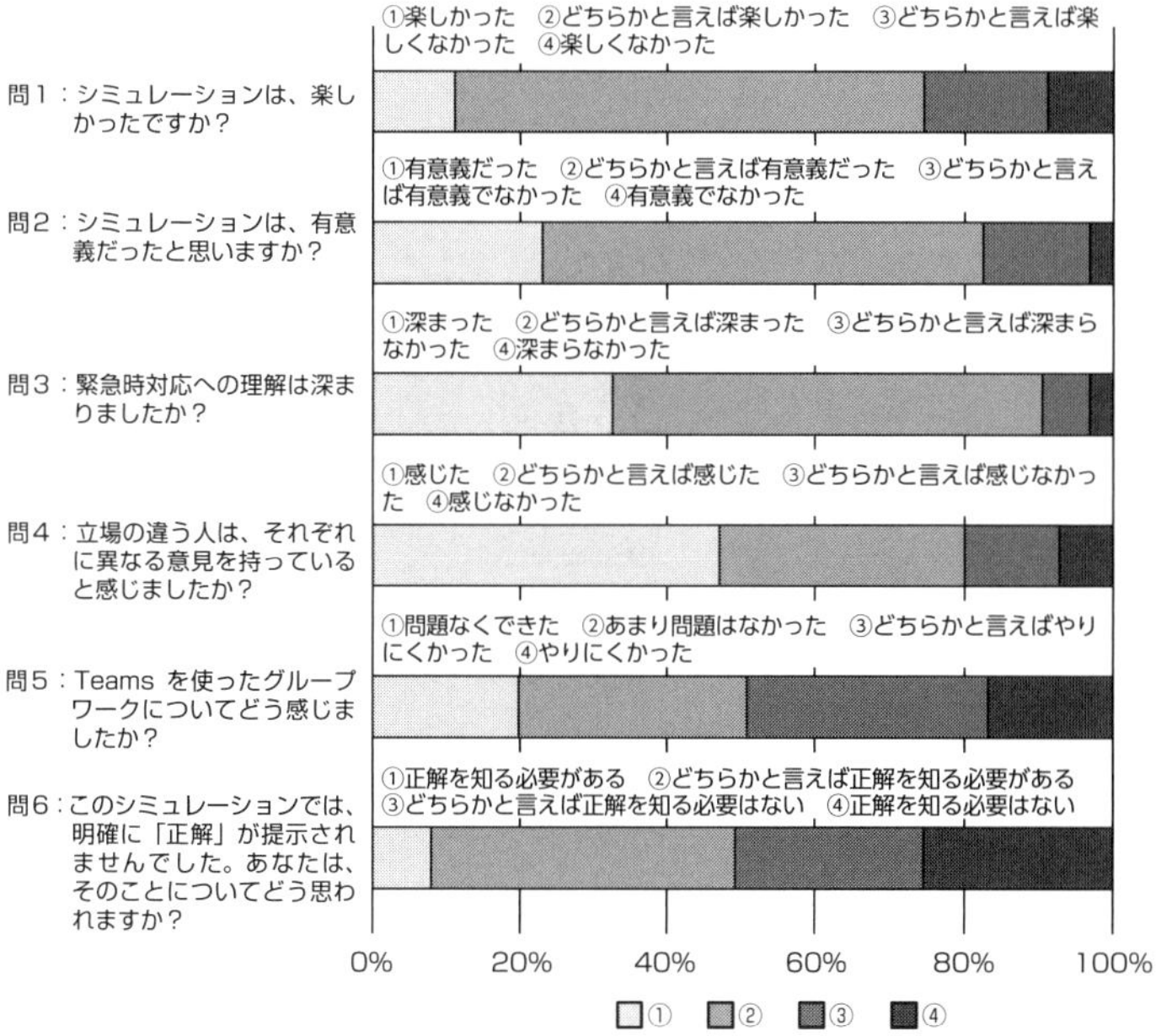

図5-4　オンラインによるシナリオシミュレーションの評価（N=126）

した。

一方、問5「Teamsを使ったグループワークについてどう感じましたか？」という質問には、「問題なくできた」と「あまり問題はなかった」の合計が50・79％で、「どちらかといえばやりにくかった」と「やりにくかった」の合計49・21％とほぼ同数でした。

さらに、問6「このシミュレーションでは、明確に〝正解〟が提示されませんでした。あなたは、そのことについてどう思われますか？」に対しても、「正解を知る必要がある」と「どちらかといえば正解を知る必要がある」の合計が49・21%、「どちらかといえば正解を知る必要はない」「正解を知る必要はない」の合計が50・79%と賛否が拮抗《きっこう》しました。

アンケートの自由記述欄には、次のような感想や意見が書かれました。

●具体的な状況をシミュレーションしておくことで現在とるべきアクションが明確になった
●ルールで何が決まっていて、何が決まっていないのか把握できていないことに気づいた
●立場や職場が異なるメンバーが揃ったグループでシミュレーションをすることで、自分が気づかなかった意見や視点があることに気づき、多様な視点を身につけるにはさまざまな立場の意見を聞くことが大切だと学んだ
●マニュアルどおりに対策をとるだけでなく状況によって臨機応変に判断していくことが大切なことだと学んだ

ほとんど全員が重要な気づきを得たようです。

研修の最初に、「危機対応に対していろいろな視点があることを知ること」を研修の目的の１つとして参加者に説明しました。研修の後で、「立場の違う人は、それぞれに異なる意見を持っていると感じましたか?」と質問したところ、目論見どおり80％もの参加者がそう感じていました。これは、あらかじめ年齢や職位の異なる参加者が混ざるようにグループ分けをしたことが功を奏し、グループワークの間の意見交換を通してものの見方や考え方の違いに気づいた結果の表れと考えられます。

一方、「正解は１つではなく、多様な状況に臨機応変に対応することが求められること」という目的も説明したのですが、正解を知る必要があるかないかの問に対する回答は半々に分かれました。このことは、会社の安全研修を受ける側に「何が正解なのかを教えてほしい」という願望が根強いことを示すものと考えられます。研修時間を短縮するために、レジリエンスエンジニアリングやセーフティⅡの考え方について十分な時間をかけて説明することができなかったことも正解を求める心理的構えを崩せなかった要因となったかもしれません。

オンライン会議アプリＴｅａｍｓの利用については、約半数の参加者が「やりにくかった」と感じていたことも明らかになりました。やはり、グループワークはできれば対面でテーブルを囲んで行いたいところですが、オンラインは感染対策になるだけでなく、遠方の参加者が安い費用で集まれる、子育てや介護のために家を長時間あけられない人も参加しやすいなどのメリットがあります。リモートで行う研修について、新型コロナウイルスが猛威を振るっていた間に、各社、各組織にさまざまなノウハウが蓄積されたと思われますので、その情報を集めたり交換したりする場があるといいですね。

ISERA（アイセラ）

どの航空会社でも乗務員に非常救難訓練を行っています。しかし、その訓練は、緊急事態が発生した後に行うべきこと、客室乗務員の場合は、乗客を席に座らせて落ち着かせること、緊急着陸の際に安全な姿勢をとるよう指示すること、そして、機長から緊急脱出指示が出たら手順どおりに乗客を機外に脱出させることが中心です。とくに緊急脱出に関してはコクピットからの指示が出たらどう行動するかという訓練が徹底して行われています。

しかしＺＩＰＡＩＲ Ｔｏｋｙｏ（ジップエア・トーキョウ、以下「ジップエア」）の中村正樹機長は、客室からしか見えないエンジンの状態や機外の様子をコクピットに伝えることや、脱出指示が出るまでにＣＡが考えておかなければならないこと、準備しておかなければならないことの教育・訓練が不十分だという認識を持っていました。ジップエアは日本航空グループの格安航空会社（ＬＣＣ）で、２０２０年から成田空港とアジア諸都市やホノルル、アメリカ西海岸を結ぶ国際線を運航しています。

　私が日本航空の安全アドバイザリーグループの一員としてジップエアのみなさんとお話しした際、中村機長と知り合い、セーフティⅡの考えに基づく新しいタイプの教育・訓練の紹介をしました。その後、日を置かずして、客室乗務員向けの新しい訓練プログラムの共同開発プロジェクトがスタートしました。このプロジェクトは、私と慶応義塾大学の吉川肇子《きっかわとしこ》、静岡英和学院大学の重森雅嘉《しげもりまさよし》の３人による「レジリエントな安全行動を促進するゲームの開発」を目的とした研究[10]の一環でもあります。訓練の骨格はシナリオシミュレーションを応用したものですが、一人ひとりがタブレット端末（ｉＰａｄ）を持って、そこに自分が担当するドアの位置から見える機外と機内の状況が適時映像で配信されるなど、新しい要素をふんだんに取り入れたので、Innovative《イノベイティブ》 Simulation《シミュレーション》 to《トゥ》 Enhance《エンハンス》 the《ザ》 Resilience《レジリエンス》 of《オブ》 Aircrew《エアクルー》、略してアイセラ（ＩＳＥＲＡ）と名付け、２０２３年7月にフランスで開かれた国際シミュレーション＆ゲーミング学会で発表しました[11]。

その後、ジップエアは客室乗務員が年1回受ける定期訓練にISERAを取り込んで利用を続けています。以下では、その概要を紹介します。

・**研修の準備と時間割**

客室乗務員（CA）7~8人と運航乗務員（パイロット）2~3人を1グループにして、1回につき3グループが訓練を受けます。参加者は会社が貸与して普段の仕事に使っている各自のタブレット端末（iPad）を持参します。CA7人というのはジップエアが運航するボーイング787型機に乗務する客室乗務員の数で、乗務の際はそれぞれが担当するドアを指定されるので、訓練でもそのように担当ドアを割り当てます。

各グループはテーブルを囲んで座りますが、グループディスカッションの時間には、立ち上がって付箋をホワイトボードや研修会場の壁に付箋を貼っても構いません（図5-5）。全体のファシリテータのほか、各グループに1人ずつのファシリテータが付きます。

訓練は90分で、次のような構成になっています。

・ブリーフィング
・セッション1
状況設定1の提示
状況設定1についてのディスカッション
と共有
・セッション2
状況設定2の提示
状況設定2についてのディスカッション
・セッション3
状況設定3の提示
状況設定3についてのディスカッション
・グループでの検討結果の発表
・デブリーフィング

図5-5　ISERAにおけるグループディスカッション風景

・シミュレーションの進め方

最初は全員に状況をスライドで提示します。ジップエアで使った1枚目のスライドには、「あなたは客室乗務員または運航乗務員です」で始まり、何便に乗務しているか、強風の中、着陸態勢に入ったことが示されます。次のスライドには、その後の1分弱の間に起きたさまざまな状況が秒単位で、克明に書かれています。その一部を抜粋して紹介します（表5−1）。

このスライドには多くの情報が詰め込まれていますが、全部を黙読し終わるころには次に送られてしまいます。書き写す暇はないので、グループディスカッションで各自が覚えている情報を共有して、つなぎ合わせなければなりません。

ここでファシリテータは、受講者の端末に受講者が見るべき映像（写真と動画）のリンクが記されたメールを送り、CAは自分が担当するドアの位置から見える客室の様子と窓の外の景色を閲覧します。一例として図5−6にL4ドア（左側、前から4番目のドア）担当の客室乗務員に提示された画像を示します。パイロットには、先のスライドに文字で記されていた間にどのような判断でどのような操縦操作を行ったのかが説明され、最後にコクピット前方の情景が写真で示されます。

表５－１　シミュレーションする状況を示したスライドの一部

15:27'20"	機体は接地のため、Flare（機首を上げる操作）を行いました。
15:27'35"	機体は機首を上げ、上昇を始めたようです。
15:27'47"	急にエンジンの音が大きくなりました。
15:27'50"	（ここから約3秒間に）激しい衝撃が3回以上発生しました。
15:27'52"	衝撃後、機体は左に傾き、振動・音響を伴って地面を移動しているようです。
15:27'54"～	機体は左に傾いたまま、衝撃・音響を伴った移動が続いています。
15:28'15"	衝撃・音響が収まり、機体は停止しました。

図５－６　L4 ドア担当 CA に提示された機外と機内の状況

続いてディスカッションの課題が提示されます。

●機体が停止した後、自分が実行すると思う行動を、付箋に記載してください。

（一部省略）

●どのような事態が発生しているのか、まずは客室乗務員だけで話し合ってください。

そう考える情報や理由があれば、それも併せて発言してください。

（2～3分後）運航乗務員もディスカッションに加わってください。

じつは、客室のドアの窓からは死角になって見えない状況があります。ジップエアが運航しているボーイング787の場合、左エンジンは18A、右エンジンは18Kという座席の窓からエンジンがよく見えるので、エンジンの様子を見るには、ドアと客室の間にあるパーティションの向こう側にある座席に行って窓の外を見るよう客室乗務員は教えられています。そこで、グループディスカッションの中で、誰かがそれを思い出して、やるべきことの中に、「客席の窓から外を見る」というような記述があった場合には、そのグループを担当するファシリテータは客席窓からの景色を、そのドアを担当するCAのタブレットに

図５−７　L2 ドアの窓から見える状況（左）と、18A 席の窓から見える状況（右）

配信します（図5-7）。

次に、全体ミーティングで、この状況をどう認識しているか、ファシリテータは質問を投げかけ、各グループに認識を共有してもらいます。

セッション２では、「立ち上がる乗客が出始めました」「赤ん坊の泣き声がし始めました」「左後方窓際の乗客が『おい、燃えているぞ』と叫びました」などと状況が進展していきます。そして、ＣＡには「客室乗務員として、何を行う必要があるか、できるだけ多くリストアップしてください」「リストアップしながら、それらの重要度、実施の順番についてグループで話し合ってください」などの課題が出されます。パイロットには「どのような状況であれば緊急脱出開始を判断しますか?」など別の課題が出されます。

セッション3では、コクピットから緊急脱出指示が出る前に口頭、または放送で何を説明するか(または指示するか)、脱出指示が出た後にどんなことを考えなければならないかをグループワークで書き出してもらいます。

・発表会とデブリーフィング

各セッションで議論した主要な点を、各グループの代表に発表してもらいます。

その後、ファシリテータがシナリオの中の重要ポイントを解説します。右に紹介したジップエアの2023年度の訓練シナリオには、①速やかに脱出しなければならない状況かどうかを見極めるポイント、②脱出の障害となる要因を把握し、速やかな脱出が開始されるようにするためのポイント、③脱出の障害となる事象を排除し、死傷者を減らすためのポイントを組み込んだので、それらを解説しています。また、過去に起きた類似した事故事例や、乗客に対する有効なアナウンスの方法なども紹介しています。そして、人は事故や災害に遭っても滅多にパニックを起こさないこと、パニックを起こすのはどのような場合なのかも、心理学の研究論文[12]に基づいて説明します。

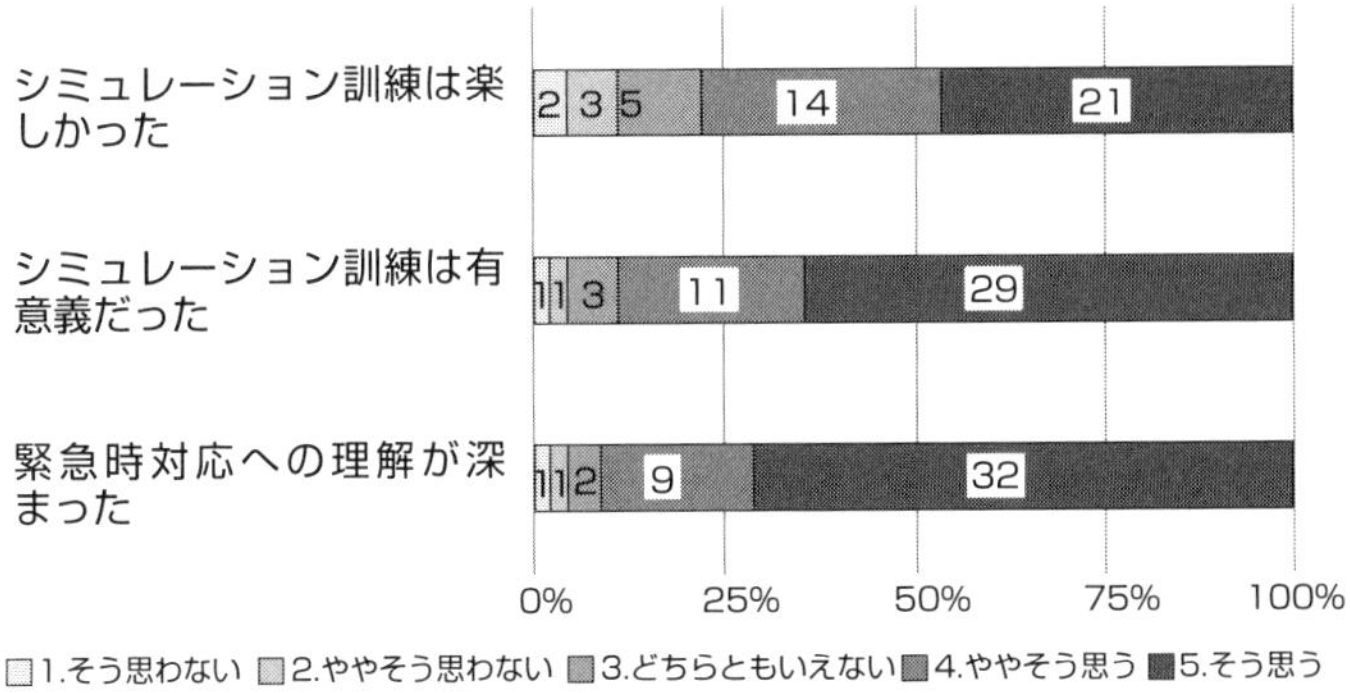

図５-８　ISERA に対する全体的評価
（グラフ内の数値は人数）

最後に、今日気づいたことをグループごとに話してもらい、研修を終わります。

・研修の評価と感想

ここでは、２０２２年10月と、２０２３年２月にＩＳＥＲＡを試行した後の受講者から45人の評価と感想を紹介します[11]。この時はたっぷりグループディスカッションの時間をとり、全体で４時間近くかけてシナリオシミュレーションを実施しました。

その後で、受講者はアンケートシステムから送られてきた質問に、１（そう思わない）、２（あまりそう思わない）、３（どちらともいえない）、４（ややそう思う）、５（そう思う）の中から１つを選択する形で回答しました。まず、**図5-8**

はシナリオシミュレーションを使った訓練に対する全体的な評価です。受講者のほとんどが、訓練が楽しく、有意義で、緊急時対応への理解が深まったと感じていたことが分かります。

図5-9は、ISERAを受けて、レジリエントな対応能力が高まったと感じられるかどうかに関する質問への回答です。すべてのことが想定できないことを理解した上で、緊急時によりよい対応をすることができそうだし、その覚悟もできたようです。ただし、自信が持てたとまではいかないようです。従来の緊急時訓練のように、決められたことを決められたとおりに行う練習をすると、できてしまうので、自信が持てます。しかし、実際の緊急時は訓練どおりのことは起きないので、むしろ、たった1回のシミュレーション訓練で過剰な自信はつけない方がよいと思います。

グループディスカッションに関する質問への回答を図5-10にまとめました。ディスカッションに自分自身を含めグループメンバー全員が積極的に参加したことや、職位や先輩後輩に遠慮せずに自分の意見を言えたことは、ゲーミングの大きな効用だと思います。ただし、「グループ内の一部の人の意見がグループ全体の意見に強く反映した」という質問に対して、「そう思う」が1人、「ややそう思う」が16人もいました。一部の人が議論をリードして、その人の意見に他のメンバーが引きずられることがグループによってはあったようです。こういう状況にならないよう、１人が喋りすぎないようブリーフィングで釘を刺したり、場合によってはグループ担当のファシリテータが介入したりする方がいいかもしれません。

アンケートの自由記述欄には次のような感想や意見がありました。

●年次の違う方や、運航乗務員の方を交えて議論できたので、自分の知識の幅が広がったように感じます。

●１つの事例を考え、話し合うことで知識の引き出しにつながり、記憶に残しやすいと感じました。

●シナリオが提示され、それに対してディスカッションをしていく形でしたが、机上であるにもかかわらず活発に意見交換ができたので非常に有意義な時間でした。自分自身では思いつかないことも、他のメンバーが言及しており、気づかされることが多くありました。

●とても有意義な時間でした。あらゆることを事前にすべて予測することは難しいので

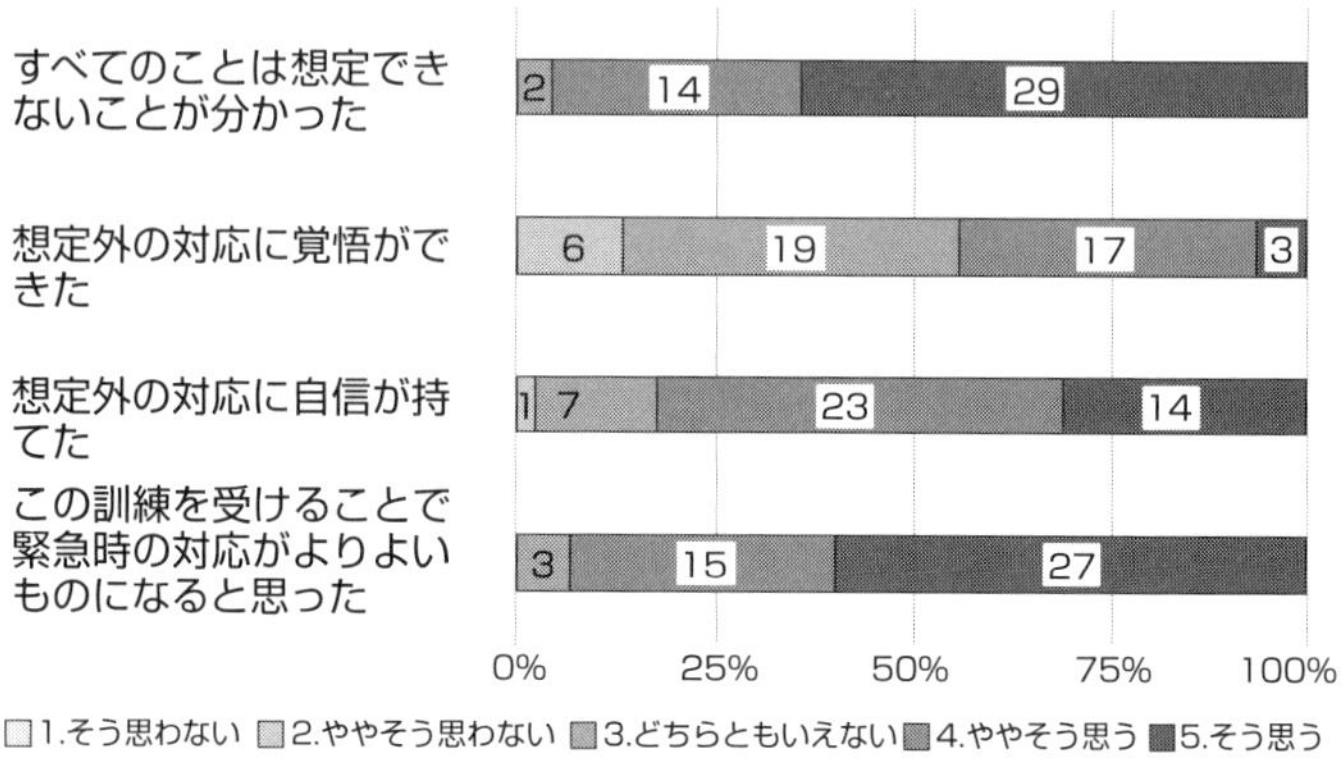

図 5 - 9　レジリエントな対応を高める効果に関連した質問への回答
（グラフ内の数値は人数）

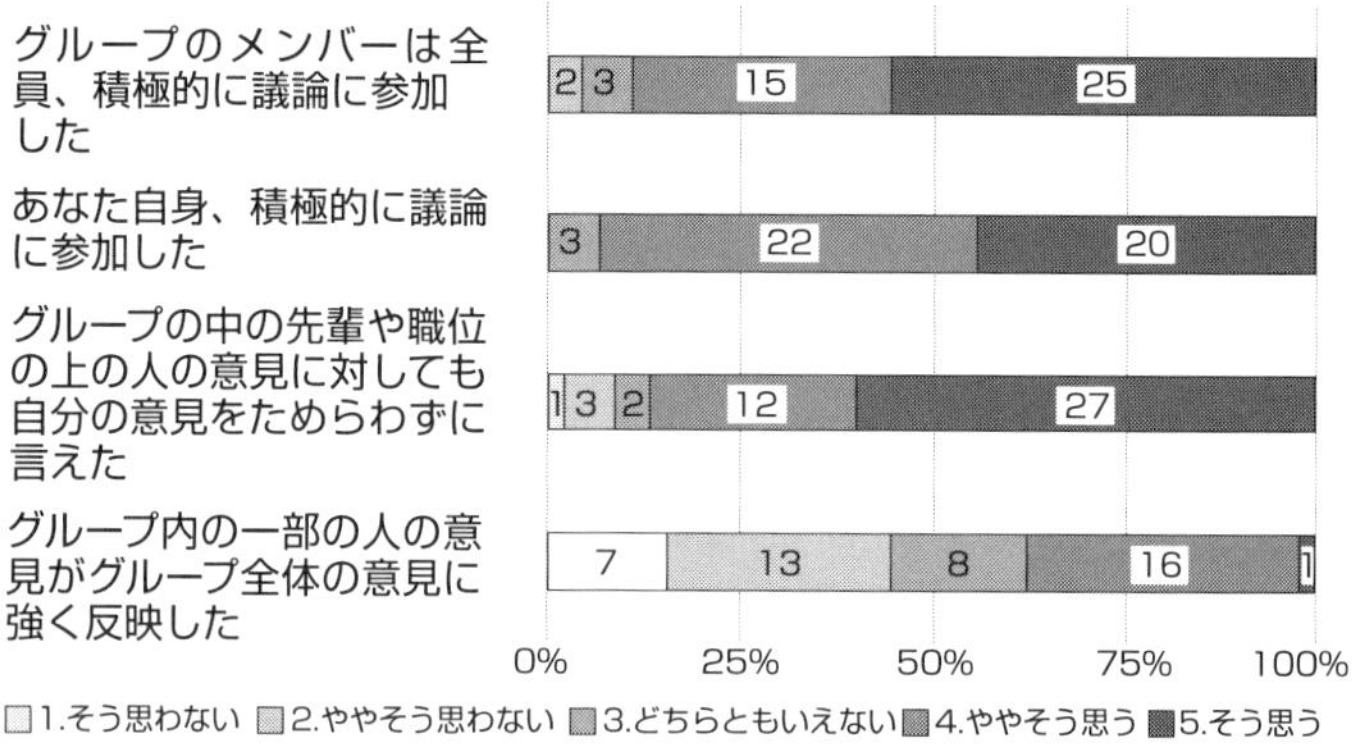

図 5 - 10　グループディスカッションに関する質問への回答
（グラフ内の数値は人数）

このように定期的に考える時間があるとよいと思います。

全体としては、これまでの座学と実技中心の訓練と違うタイプの研修は大変好評だったと結論することができました。

一方、参加したパイロットの一部からは批判的な意見もありました。批判の１つは、「緊急時対応は一刻を争うのだから、悠長に議論している暇はない、考えなくても体が動くように訓練しなければならない」というような内容でした。

確かに緊急事態では時間が切迫しているので、シミュレーション訓練でもタイムプレッシャーの下でやるべきだという意見にも一理あります。しかし、現実の緊急事態は訓練で想定しているものと同じではありません。発生事象そのものもいろいろなヴァリエーションがあり得るし、乗っている旅客も、乗務しているクルーも便ごとに違います。ですから、緊急事態への対応にもしなやかさが必要なのです。そのため、研修においては、じっくり考えて議論し、対処行動の引き出しを増やしておくことがいざというときに役立ちます。

もちろん、緊迫する状況で決められた行動がスムーズにできるようにする実習も必要です。しかし、それを現実の状況に応じて適宜修正する応用力は、時間をかけたグループディスカッションの中で培われるのです。2024年1月2日に羽田空港滑走路上で、日本航空機と海上保安庁機が衝突・炎上した事故では、JALの乗務員は機体が燃え落ちる前に乗客全員を脱出させることができましたが、火災がもっと早く拡大していたら、けがをして動けなくなった乗客がいたら、状況が違っていたらどうだったのか、そのときどう行動したらよいのか、すべてのエアラインの乗務員がディスカッションしてほしいと思います。

職場での取組み

ここまで、セーフティⅡを目指す安全研修を紹介してきましたが、現場第一線で働く人たち全員を一度に集めて研修するわけにはいきません。システムの機能を維持するために、現場の人は忙しく働いています。要員もカツカツです。セーフティⅡのためにシステムの機能を停止するのは本末転倒ですよね。ですから、従業員の数パーセントずつを順に集めて、長期計画で研修を進めていくしかありません。

仕事の教え方にOJT（オンザジョブ・トレーニング＝仕事をしながら職場の上司や先輩が仕事を教えること）と、Off―JT（オフザジョブ・トレーニング＝職場を離れて研修所などで講師が知識やルールを教えること）があるように、レジリエントな安全行動を育てる取組みも、研修所や本社の会議室だけでなく、職場や現場でも行うべきです。

日本の多くの作業現場では、作業前にＫＹミーティングが行われます。ＫＹとは危険予知のことで、これから行う作業の要注意箇所、要注意点を作業グループで検討して、危険を避けるための対策や行動を確認します。ＴＢＭ（ツールボックス・ミーティング）、あるいはブリーフィングとも呼ばれます。ともすると、管理者や作業リーダーからの作業指示と注意事項の伝達だけで終わらせてしまう傾向がありますが、本来は、メンバー一人ひとりが考えて、それをグループで共有する場でなければなりません。

私がある時に見せてもらったＫＹミーティングでは、若いリーダーが、会社や職種の違う人たち一人ひとりに発言を促して、それぞれの役割と想定される危険事象を挙げさせていました。ＫＹミーティングが短時間のグループディスカッションになっていたのです。このような活動を通して、安全な手順をみなが共有するだけでなく、外乱や変動に対してレジリエントに対処するしなやかさが生まれるでしょう。

全員参加型のＫＹミーティングは第４章で解説したチーミングを促進します。そのためには適切なリーダーシップと作業グループ内の心理的安全性が必要です。逆に、全員参加型のＫＹミーティングが、リーダーシップと心理的安全性を醸成するでしょう。つまり、現在行っているＫＹミーティングやブリーフィングを見直して改善することは、現場第一線のレジリエンスを高める第一歩になるのです。

作業前の活動だけでなく、作業後の振り返りもレジリエンスへの道となります。航空ではフライト前のブリーフィングに加えて、フライト後のデブリーフィングが行われています。ここで、乗務中に気づいたこと、気になったこと、地上職や他の乗務員に伝えなければならないことを確認するだけでなく、イレギュラーな事象にどう対応したかを共有することで、しなやかな現場力を磨くことになります。イレギュラー事象といっても大げさなものでなく、飲み物をこぼしたとか、乗客に無理な要求をされて断ったなど、小さなことでもいいのです。その対応が他の仲間にも共有する価値があると考えれば、組織（会社）に報告するとよいでしょう。組織はそのような報告を集めて水平展開する仕組みを持つとよいと思います。「失敗だけでなく、うまくいったことにも目を向ける」取組みですね。

病院では手術の後に同様の振り返りを行うとよいでしょう。緊急帝王切開手術後の振り返りで、「もっとうまく実施する手順」を検討した浜松医科大学附属病院の実践を、拙著『失敗《エラー》ゼロからの脱却』[1]の２１９頁に紹介したので参考にしてください。交代制勤務で働く看護師や、工場などで働く人たちは、退勤するチームと、出勤してきたチームとの間で業務の引き継ぎが行われますが、その場をセーフティⅡの実践に使えないか、検討してみませんか？

鉄道や運送業では乗務後の点呼で、助役や運航管理者に「無事に帰りました。とくに報告すべきことはありません」とだけ伝えているのを、せめてもう1分だけでも延長して、どのように「無事」を達成したのかなどを話題に、コミュニケーションを図ってください。会社・支社単位、あるいは職場単位で、週に1回、あるいは月に1回などのペースで安全に関する定例会議を開いている組織もあります。せっかくの機会ですから、事故やヒヤリハット情報の共有、新しいルールの伝達に留めず、ヒヤリハットが事故にならずにヒヤリハットで済んだ理由を考えるなど、うまくいったことにも着目する活動を取り入れてください。

エリック・ホルナゲルは２０２1年に『シネシス』という本の中で、生産性、品質、安全、信頼性を統合したマネジメントを提案しました[13]。安全を事故が少ない状態と捉えるから、安全マネジメントが生産やサービスと対立したり、他のマネジメントと整合性がとれなくなったりするのです。「安全とは、ものごとがうまくいくことが可能な限り多いこと」と定義するセーフティⅡなら、生産、品質、サービス、保全を担っているシャープエンド

（職場、現場）の任務そのものですよね。ですから、そこで現実に実践されている「しなやかさ」をポジティブに評価し、そのポテンシャルを高める活動をシャープエンドが牽引することが、組織全体のレジリエンスを高めることにつながるでしょう。

注

（1）芳賀繁『失敗《エラー》ゼロからの脱却　レジリエンスエンジニアリングのすすめ』ＫＡＤＯＫＡＷＡ、２０２０年
（2）西口利文・植村善太郎・伊藤崇達『グループディスカッション』金子書房、２０２０年
（3）藤原武弘（編著）『人間関係のゲーミング・シミュレーション』北大路書房、２００７年
（4）吉川肇子・Thiagarajan, S.『ゲームと対話で学ぼう』ナカニシヤ出版、２０１８年
（5）矢守克也・吉川肇子・網代剛『防災ゲームで学ぶリスク・コミュニケーション』ナカニシヤ出版、２００５年
（6）吉川肇子・矢守克也・杉浦淳吉『クロスロード・ネクスト』ナカニシヤ出版、２００９年
（7）芳賀繁「ゲーミングを使ったジレンマ状況を考える研修と研修効果の測定」安全工学シンポジウム２０１８予稿集、２０１８年

（８）芳賀繁「鉄道社員を対象とする安全研修におけるクロスロードの実践」日本シミュレーション&ゲーミング学会２０２３年度秋期全国大会発表論文集、48〜49頁、２０２３年

（９）芳賀繁・吉川肇子「シナリオシミュレーションを用いたオンライン安全研修の試み」日本シミュレーション&ゲーミング学会全国大会論文報告集、２０２１年春号、30〜33頁、２０２１年

（10）令和２〜５年度科学研究費助成事業基盤研究（C）「産業現場におけるレジリエントな安全行動を促進するゲームの開発と効果の検証」課題番号20K03301

（11）Kikkawa, T., Haga, S., Shigemori, M., Nakamura, M., and Suzuki, M.（2023）ISERA: An Innovative Simulation to Enhance the Resilience of Aircrew, *Proceedings of the 54th International Simulation and Gaming Association Conference*, pp.460-470

（12）吉川肇子「緊急時の人間行動」科学、第87巻第10号、８９１〜８９８頁、２０１７年

（13）Hollnagel, E.（2021）*Synesis*. Routledge. 北村正晴・狩川大輔・高橋信（訳）『シネシス』海文堂出版、２０２３年

あとがき

セーフティⅡの本を読み終えたばかりの読者に言うのも気がとがめますが、２０２０年に『セーフティⅢ《スリー》』という論文が出ました[1]。著者は、レジリエンスエンジニアリングの最初の本『レジリエンスエンジニアリング　概念と指針[2]』をエリック・ホルナゲル、デヴィッド・ウッズとともに編集したナンシー・レヴソン（マサチューセッツ工科大学教授）です。

レヴソンは、セーフティⅡが人間のオペレータを過度に重視していると批判し、システム設計の段階でハザード（事故や損失の要因となるもの）をできる限り予防し制御すべきだと主張しています。ただし、システムの運用が開始されてから終了するまでの間に起きることを全部予測することはできないので、当初想定していなかった非常事態が生じたときに、人間のオペレータがレジリエントに対応できるようシステムを設計しなければならないと言います。システム設計にはハードウェア、ソフトウェアだけでなく、安全マネジメントシステムや望ましい安全文化、安全情報システムの設計も含まれます。どのように設計すればよいかは、彼女が開発したＳＴＡＭＰ（Systems-Theoretic Accident Model and Processes）を使いなさいということなのですが…。

残念ながら、私たちのほとんどは、そのような素晴らしいシステムを使っているのでなく、つぎはぎだらけのシステムの中で働いています。
ホルナゲル、ウッズと並んでレジリエンスエンジニアリングの研究を牽引し、『ヒューマンエラーは裁けるか』[3]（原題はJust《ジャスト》 Culture《カルチャー》）の著者としても名高いシドニー・デッカー（オーストラリアのグリフィス大学教授）は『ヒューマンエラーを理解する』[4]という本の中で次のように書いています。

「システムとは、基本的に安全というものではない。システムの中における人間は、さまざまな技術の小間切れをつなぎ合わせ、生産圧力もうまくこなし、不確実性の中で行動することで安全を築いていかなければならない。」（翻訳書32頁）

そして、「人間は安全を作り出す上で不可欠の存在である。人間は、実際の業務環境の中で安全と圧力との折り合いをつけることができる唯一の生き物である」（同33頁）と。

セーフティⅡの考え方は、「安全はすべてに優先する」、「安全なくして生産なし」というような従来の安全思想に反しているように感じられて、とくに長年安全活動に携わってきた人たちからは反発を受けるかも知れません。しかし、「安全」を生産から切り離して、対立概念にしてはいけません。「安全」か「生産」か、どちらかを選ぶのではなく、安全に生産しなくてはならないのです。現場第一線はみな、その努力をしています。読者の職種に合わせて、「生産」を工事、建設、送電、配電、輸送、医療、介護、保育、サービスなどに置き換えてください。

セーフティⅡは、安全に最大限の配慮をしながら、システムに求められる機能を高い水準に維持し、さらに高める努力を惜しまず日々働いている現場第一線（シャープエンド）にとって、「事故が少ない状態」を表すセーフティⅠよりも、ずっと望ましい安全概念ではないでしょうか。

マネジメント側（ブラントエンド）にいるみなさんは、ルールを守ることだけを要求したり、安全ルールを増やしたりすることが、現場の士気をくじき、かえって安全を損なう可能性があることに留意してください。システムがレジリエントであるためには、シャープエンドもブラントエンドもレジリエントでなければならないのです。

ここ数年、私と一緒にセーフティⅡの実践活動をしてくださったみなさんに感謝します。とりわけ、戸田建設札幌支店、東武鉄道、住友ゴム工業材料開発本部、ＺＩＰＡＩＲ Ｔ ｏｋｙｏにおかれましては、本書に活動の詳細を紹介することを快く承諾してくださってありがとうございます。また、よき友人であり、レジリエンス行動を高めるゲーミングの共同研究者であり、Ｗｏｒｄｌｅ《ワードル》（英語パズル）の好敵手であり、シナリオシミュレーションとクロスロードを私に教えてくれた慶応義塾大学の吉川肇子《きっかわとしこ》教授に心から感謝します。

２０２４年４月１日　東京にて　芳賀繁

注

（1）Leveson, N.（2020）Safety III: A Systems Approach to Safety and Resilience. *Aeronautics and Astronautics* Dept., MIT.

（2）Hollnagel, E., Woods, D. D., & Leveson, N. C.（Eds.）（2006）*Resilience engineering: Concepts and Precepts*. Farnham, UK: Ashgate. 北村正晴（監訳）『レジリエンスエンジニアリング：概念と指針』日科技連出版社、２０１２年

（3）Dekker, S.（2007）*Just Culture*. Ashgate. 芳賀繁（監訳）『ヒューマンエラーは裁けるか　安全で

公正な文化を築くには』東京大学出版会、２００９年
（４）Dekker, S.（2006）*The Field Guide to Understanding Human Error.* Ashgate. 小松原明哲・十亀洋（監訳）『ヒューマンエラーを理解する　実務者のためのフィールドガイド』海文堂出版、２０２０年

読書ガイド

ほかにもたくさんの良書がありますが、日本語で読めるものの中から本書に関係の深い本を紹介します。

レジリエンスエンジニアリングのバイブル

・エリック・ホルナゲル他編（北村正晴 監訳）『レジリエンスエンジニアリング　概念と指針』日科技連出版社、２０１２年

・エリック・ホルナゲル他編（北村正晴・小松原明哲 監訳）『実践レジリエンスエンジニアリング　社会・技術システムおよび重安全システムへの実装の手引き』日科技連出版社、２０１４年

レジリエンスエンジニアリングを分かりやすく解説した本

・中島和江編『レジリエント・ヘルスケア入門』医学書院、２０１９年

・芳賀繁『失敗《エラー》ゼロからの脱却　レジリエンスエンジニアリングのすすめ』ＫＡＤＯＫ

AWA、2020年

セーフティⅡをもっと深く理解するために

・エリック・ホルナゲル（北村正晴・小松原明哲 監訳）『Safety-I and Safety-II 安全マネジメントの過去と未来』海文堂出版、2015年
・エリック・ホルナゲル（北村正晴・小松原明哲 監訳）『Safety-IIの実践 レジリエンスポテンシャルを強化する』海文堂出版、2019年

チーミングと心理的安全性について

・エイミー・エドモンドソン（野津智子 訳）『チームが機能するとはどういうことか──「学習力」と「実行力」を高める実践アプローチ』英治出版、2014年
・エイミー・エドモンドソン（野津智子 訳）『恐れのない組織 「心理的安全性」が学習・イノベーション・成長をもたらす』英治出版、2021年
・石川遼介『心理的安全性のつくりかた』日本能率協会マネジメントセンター、2020年

サーバント・リーダーシップとシェアド・リーダーシップ

・池田守男・金井壽宏『サーバントリーダーシップ入門　引っ張るリーダーから支えるリーダーへ』かんき出版、2007年
・石川淳『シェアド・リーダーシップ　チーム全員の影響力が職場を強くする』中央経済社、2016年

根本原因分析（RCA）

・石川雅彦『RCA根本原因分析法実践マニュアル 第2版　再発防止と医療安全教育への活用』医学書院、2012年

ゲーミングとクロスロード

・吉川肇子・Thiagarajan, S.『ゲームと対話で学ぼう　Thiagiメソッド』ナカニシヤ出版、2018年
・矢守克也・吉川肇子・網代剛『防災ゲームで学ぶリスク・コミュニケーション』ナカニシヤ出版、2005年

・吉川肇子・矢守克也・杉浦淳吉『クロスロード・ネクスト　続：ゲームで学ぶリスク・コミュニケーション』ナカニシヤ出版、２００９年

ヒューマンエラーについての入門書

・芳賀繁『失敗のメカニズム　忘れ物から巨大事故まで』角川ソフィア文庫、２００３年
・芳賀繁『絵でみる失敗のしくみ』日本能率協会マネジメントセンター、２００９年
・芳賀繁『うっかりミスはなぜ起きる　ヒューマンエラーを乗り越えて』中央労働災害防止協会、２０１９年

安全マネジメントを語る上で読んでおいてほしい本

・ジェームズ・リーズン（塩見弘 監訳）『組織事故』日科技連出版社、１９９９年
・シドニー・デッカー（芳賀繁監訳）『ヒューマンエラーは裁けるか　安全で公正な文化を築くには』東京大学出版会、２００９年

セーフティⅡとは？
「失敗を減らす」から「成功を増やす」へ

令和６年４月26日　第１版第１刷発行

著　者　芳賀　繁
発行者　平山　剛
発行所　中央労働災害防止協会
〒108-0023
東京都港区芝浦３丁目17番12号　吾妻ビル９階
電話　販売　03（3452）6401
　　　編集　03（3452）6209
ホームページ　https://www.jisha.or.jp
表紙デザイン　長嶋　亜希子
イラスト　田中　斉
印刷・製本　モリモト印刷株式会社

ISBN978-4-8059-2152-4　C0360